D1155449

거룩한 삶의 은밀한 대적 게으름

**김남준** 조국교회의 참된 부흥과 그리스도인의 거룩한 삶에 깊은 관심을 가지고 열정적으로 설교와 집필 활동을 하고 있는 김남준 목사는 총신대에서 목회학석사, 신학석사 학위를 받고, 신학박사 과정에서 공부했으며, 안양대학교 신학부와 천안대학교 신학부에서 전임 강사와 조교수를 지냈다. 성경의 원리에 충실하면서 시류와의 영합을 거절하는 청교도적인 설교로 널리 알려진 저자는 현재 평촌에 있는 "열린교회"(www.yullin.org)를 담임하고 있다.
주요 저서로는 1997년도 기독교 출판문화상을 수상한 『예배의 감격에 빠져라』(규장)와 2003년도 기독교 출판문화상을 수상한 『거룩한 삶의 실천을 위한 마음지킴』(생명의말씀사)을 비롯하여 『새벽기도』,『거룩한 삶의 은밀한 대적 게으름』,『성화와 기도』,교리묵상『마음지킴』,『사랑』(생명의말씀사),『구원과 하나님의 계획』,『가족 구원』(부흥과개혁사),『자네 정말 그 길을 가려나』(두란노) 외 다수가 있다.

거룩한 삶의 은밀한 대적 게으름



2003년 9월 25일 1판 1쇄 발행
2003년 11월 10일 4쇄 발행
2003년 11월 25일 2판 1쇄 발행
2005년 2월 25일 46쇄 발행

지 은 이 | 김남준
펴 낸 이 | 김재권
펴 낸 곳 | 생명의말씀사
등 록 | 1962. 1. 10. No.1-201
주 소 | 110-101 서울 종로구 송월동 32-43
전 화 | (02)738-6555(본사), (02)3159-7979(영업부)
팩 스 | (02)739-3824(본사), 080-022-8585(영업부)

교 열 | 태현주
편집디자인 | 디자인집
표지디자인 | 디자인집
인 쇄 | 영진문원

ISBN 89-04-15523-1
89-04-00108-0(세트)

거룩한 삶의 실천 시리즈 2

거룩한 삶의 은밀한 대적

# 게으름

생명의말씀사

## 목 차

## 개정판을 내면서

지극히 개인적인 고민과 갈등의 산물인 『게으름』이 이처럼 단시일내에 폭발적인 반응을 불러일으킨 것은 필자인 저도 예상하지 못한 일이었습니다.

정해진 삶의 길이 속에서 보다 많은 일을 하며 사는 법은 세 가지가 있습니다. 가치가 적은 일보다는 가치 있는 일에 집중하여 사는 것과 보다 유능해지는 것과 부지런히 사는 것입니다. 인간 안의 부패성은 자기 중심적인 욕망을 성취하는 데 있어서는 부지런하게, 선한 의무를 행하는 데 있어서는 게으르게 합니다. 그리고 그런 본성적 게으름은 영적인 변화 없이는 벗어버릴 수 없습니다.

이처럼 짧은 시간 안에 개정판을 내게 된 것은 소지하고 다니며 어디서든지 편하게 읽을 수 있는 보급판 도서를 요구하는 독자들의 요청에 따른 것입니다. 개정판을 준비하는 과정에서 몇 개의 장의 끝부분 내용을 약간 보충하였습니다. 이 책이 거룩한 삶을 살고자 하는 이들에게 유익이 되기를 바랍니다.

2003. 11. 10

그리스도의 노예 김남준

## 책을 열며

세상에서 저를 많이 사랑해 주시던 분은 돌아가신 저의 할머니이셨습니다. 지방에서 사업을 하시는 부모님을 떠나 서울서 공부하게 된 초등학교 때부터 결혼해서 분가할 때까지 거의 대부분의 시절을 할머니과 함께 생활했습니다. 자라면서 할머님께 가장 많이 꾸중 들었던 것이 저의 게으름이었습니다. 제가 잠자리에서 늦게 일어나거나 할 일 없이 시간을 보낼라치면 항상 이렇게 나무라셨습니다. "애야, 그렇게 게을러서 이담에 뭘하려고……."

제가 이러한 게으름에 대하여 뼈저린 인식을 가진 것은, 예수님을 인격적으로 깊이 만나고 하나님의 영광에 대한 갈망을 갖게 된 때부터였습니다. 하나님의 특별한 사랑을 입어서 구원을 받았지만, 지상에서의 저의 생명은 유한하다고 말하기에는 너무나 짧다는 것과 하나님의 영광을 위하여 살고자 하는 타오르는 갈망이 있을지라도 시간이 없으면 그것을 삶으로 펼칠 수 없다는 것을 깊이 깨닫게 되었습니다. 그리고 그 때부터 이 게으름은 단순한 인간

성향의 문제가 아니라, 마음의 부패에 뿌리를 내린 그릇된 자기 사랑이라는 사실을 깨닫게 되었습니다. 그리고 제게 있어서, 거룩한 삶을 위한 성화의 싸움은 언제나 게으른 본성과의 다툼을 동반하였습니다.

그 후 주님을 깊이 만나고 개인적으로 부흥을 경험하면서, 저는 더욱 제 자신 안에 있는 게으름을 혐오하게 되었고, 언제나 내 안에 있지만 내가 아닌 타자인 것처럼 그것과 더불어 싸웠습니다. 그리고 그 게으름을 미워하면서 최선을 다해 하루하루를 내 날이 아닌 것처럼 세월을 아끼며 살고자 애써 왔습니다. 그러나 지금도 저는 제 자신 안에 남아 있는 게으른 성품을 봅니다. 그래서 저는 아직도 제가 싫습니다. 주님은 더욱 그러시겠지요.

그러나 치열한 분투에 지치고, 투쟁하는 것 같은 부지런한 삶에 싫증을 느낄 때마다, 우리 주님의 생애를 생각하는 것은 제 자신을 추스르는 데 큰 힘이 되었습니다. 머리 둘 곳조차 없으신 생애 동안에 자기를 다 바치며 사신 예수님의 생애는 정말 게으름과는 거리가 먼 생애였습니다. 오히려 제게 있어서 그분의 생애는 액체의 생애였습니다. 땀과 눈물과 피를 다 쏟으신……. "썩어서 죽기보다는 닳아서 사라지고 싶다"고 했던 조지 휫필드(George Whitefield)의 고백처럼 우리는 그렇게 살아가야 합니다. 날마다 자기를 부인하고 십자가를 진 채로 말입니다.

이 책은 그리스도인의 성화에 있어서 게으름이 얼마나 은밀하면서도 큰 대적인지를 알게 된 저의 깨달음의 일부를 소개한 것입니다. 아직도 많은 그리스도인들이 거룩한 삶을 이어감에 있어서 게으름이 얼마나 큰 대적인지를 모르고 있으며, 그로 인하여 많이 실패하고 있다는 안타까움이 이 글을 쓰게 하였습니다. 여러분들에게 이 책은 달콤하기보다는 쓰디쓴 한 사발의 한약처럼 느껴질지도 모릅니다. 한때 제게 이 진리가 그렇게 쓰고 아팠던 것처럼…….

그러나 부디 이 글을 읽고 길이신 예수님의 뒤를 따라가는 부지런한 구도자가 되소서. 참 신자가 되기까지…….

2003. 8. 7

그리스도의 노예 김남준

# 제1부 게으름에 익숙한 그대에게

## 웃다가 시무룩해진 이야기

여러 해 전 어느 신도시에 있는 대형 교회에 설교하러 갔을 때 일입니다. 집회하기 전에 함께 식사하는 자리에서 복음에 대한 서로의 생각을 나누게 되었습니다. 오늘날 조국교회가 복음을 외치지 아니함으로 신자들을 근본적인 영적인 변화로 이끄는 데 있어서 매우 어려워하고 있다는 등의 이야기였습니다. 그 때 동석했던 한 목회자가 이런 말을 했습니다. “목사님, 우리 목회자들이 강단에서 복음이다 구원이다 하고 설교하면서 그것이 대단한 것처럼 말해도 실제로 심방을 하며 성도들의 삶을 들여다보면, 그들에게 있어서 구원은 10원보다 조금 못한 것으로 취급됩니다.” 좌중이 모두 폭소를 터뜨렸지만, 웃고 난 후에는 왠지 다들 시무룩해졌습니다.

구원받은 신자가 이 세상에서 주님과 더불어 영적인 기쁨을 소유하며 살지 못하는 것은 그가 거룩해지고자 힘쓰지 않기 때문입니다. 그리스도께서는 단지 이 세상에 생명만을 주시기 위해서 오신 것이 아니라, 그 생명을 가지고 풍성한 삶을 살게 하시려고 이 세상에 오셔서 우리를 구원하셨습니다. 그리고 풍성한 삶은 우리가 끊임없는 성화의 노력을 통해, 즉 그리스도의 성품을 닮아가고 삶으로 주님을 섬기는 데 있어서 온전해지기를 힘쓰는 가운데 누릴 수 있는 것입니다.

우리가 비록 구원받았고 그래서 죄와 사망의 법에서 해방되었고 정죄함이 없는 하나님의 자녀가 되었지만, 우리의 옛 사람으로부터 완전히 자유로워진 것은 아닙니다. 마치 탕자가 뉘우치며 아버지의 집으로 돌아와서 그 품에 안겼지만, 방탕한 생활을 하는 동안에 얻게 되었을 음주벽이나 상한 몸이 그 순간 씻은 듯 나을 수 없었던 것처럼, 구원받은 우리 안에는 성령으로 거듭난 새 성품과 함께 옛 사람의 부패한 성품이 남아 있습니다.

우리는 하나님을 전적으로 의지하고 말씀에 순종함으로써 그 부패한 성품으로부터 거룩하고 순결하게 하시는 성령의 은혜를 경험하게 됩니다. 그리고 우리의 성품과 인격, 그리고 삶이 그 분을 본받아 가게 됩니다. 구원받은 우리는 이미 빛이지만, 그렇게 함으로써 더 나아가 그리스도가 누구신지를 알려 줄 수 있는 빛다운 빛이 되어 갑니다. 그리고 썩어 가는 세상에서 신자로서의 거룩한 정체성을 유지하게 되는 것입니다.

게으름은 바로 그렇게 성화의 과정을 통하여 제거되어야 할 대표적인 악이며, 영적인 불결입니다. 따라서 게으름과 싸워 그 뿌리를 성령의 거룩하게 하시는 은혜의 영향력으로 파괴하지 않으면, 성화에 있어서 진전을 보기가 어렵습니다. 그리고 그렇게 날마다 부지런함으로 하나님의 말씀을 깨닫고 배우는 실천적인 순종함이 없이는 어떠한 영적 성장도 기대할 수 없습니다. 성경에 나오는 많은 거룩한 인물들의 분투하는 삶은 게으름과는 거리가 멀고, 교회사에 나타난 뛰어난 영적인 인물들 가운데 게으름과 친숙했던 사람은 없습니다.

죄가 들어오기 전에도, 처음 사람 아담과 하와는 노동함으로 하나님을 섬기도록 부름을 받았습니다. 창조 세계를 하나님을 대신하여 선량한 관리자로서 돌보도록 위임받았습니다. 그리고 생육하고 번성하여 땅과 물에 충만해질 모든 창조 세계가 하나님을 인정하는 아름다운 창조의 질서를 유지하기 위해서는 부지런히 일하여야 했습니다.

사람들은 노동이 죄의 결과라고 생각하지만, 성경적으로 보면 노동 자체는 오히려 하나님의 축복입니다. 다만, 노동에서 경험하는 열매 없음과 고통이 죄의 결과라고 말할 수 있습니다. 따라서 사람이 일하면서 살 수 있다는 것은 하나님의 큰 축복이며, 우리가 이미 받은 구원의 은혜도 순종을 통한 부지런한 성화의 삶으로 더욱 풍성함을 누리게 됩니다. 뿐만 아닙니다. 우리가 마지막으로 들어갈 하나님의 나라도 지루한 쉼이 계속되는 곳이 아닙니다. 오히려 거기서도 노동은 계속됩니다. 거기서 우리는 부지런히 하나님을 찬송하고 이 땅의 교회를 위하여 기도하며 하나님을 섬길 것입니다. 그리고 그런 섬김에 행복할 것입니다.

우리 안에 있는 새 성품은 날마다 주님을 사랑하며 섬기고 그 분의 성품을 알아가기를 힘쓰려고 하지만, 우리 안에 아직 남아 있는 옛 성품은 나태하게 지내려 하고 하나님을 섬기는 일에 있어서 게으르려고 합니다. 생각은 더 이상 하나님의 계명을 좇으려 하지 않고, 정서는 더 이상 자신을 향해 밀려드는 세속적인 사랑을 경계하려 하지 않고, 의지는 하나님께 순종하려 하지 않고 자신의 죄악된 욕망에 대하여 저항하려 하지 않습니다. 그리고 거룩한 삶에 대한 그러한 모든 무기력한 게으름 뒤에는 자기의 마음의 정욕을 따라 살고자 하는 강한 욕망이 도사리고 있습니다. 이것이 바로 게으름의 정체입니다. 성경이 게으름을 혐오하여야 할 악으로 보는 것도 바로 이 때문입니다. 하나님 앞에서 착한 성품이 충성된 삶과 관련되고 악한 성품이 게으른 삶과 관련된다는 사실을 보여주는 성경의 진리는 이러한 사실과 맥을 같이하는 것입니다(마 25:21, 23, 26).

그러나 성도의 거룩한 삶의 진전을 가로막는 모든 죄와 악이 그러하듯이 게으름 역시 우리의 많은 무지에 의하여 그 심각성이 우리에게 노출되지 않고 있습니다. 신자 안에 있는 모든 죄는 항상 우리의 성품 속에 깃들여 우리와 하나 되려 하는 성질을 가지고 있습니다. 게으름 역시 그러합니다. 그래서 오랫동안 익숙해진 게으름에 대하여 우리가 어느 날 갑자기 이유도 없이 그것을 심각하게 생각하고 혐오감을 갖는 것은 불가능합니다.

이제 여러분들은 저와 함께 우리 안에 숨어 있어 거룩한 삶의 진전을 가로막는 은밀한 대적인 게으름을 찾아내는 영적 탐구의 여행길에 오를 것입니다. 거기서 여러분들은 우리의 성화의 삶에 있어 암적인 존재인 게으름들을 찾아내게 될 것입니다. 우리의 마음과 성품, 그리고 익숙해진 삶 갈피갈피마다 깊이 배어 있는 게으름들을 색출해 낼 것입니다. 말씀의 빛이 우리 안에 있는 게으름의 정체를 드러낼 때 여러분들은 더 이상 그것들과 친구가 될 수 없을 것이며, 이제껏 그것들이 여러분 안에서 하나 된 삶을 살았다는 것에 대하여 소스라치게 놀랄 것입니다. 마치 환자가 수술 후 자기 몸에서 떼어 낸 암덩이를 보고 끔찍해 하는 것처럼 말입니다. 바로 그 지점에서 여러분들은 오랫동안 멈췄던 '착하고 충성된 삶'을 다시 시작할 수 있을 것입니다.

## 민족을 향한 가슴앓이

교회의 지도자로서 이 민족을 생각할 때, 늘 마음 아픈 부분이 있습니다. 그것은 우리 민족이 너무나 성실하지 않다는 것입니다. 어느 사회학자는 인류 역사상 합리적이지 않은 민족이 국민소득 만 불을 넘은 것은 우리나라가 최초라고 말했습니다. 저 역시 그 분의 생각에 동의합니다. 그리고 이대로는 결코 선진국이 될 수 없다고 확신합니다.

하지만, 국민소득 2만 불의 시대를 넘어 선진국이 되는 것이 완전히 불가능하다고 보지는 않습니다. 그러나 그렇게 되기 위해서는 바로 우리의 의식과 생각들이 완전히 바뀌어야 합니다. 오늘날 우리 가운데 만연해 있는 부정직을 보십시오. 부동산 투기로 한번에 몇 십 억씩 벌고 세금을 포탈하는 사람들에게 어떻게 성실한 삶을 기대할 수 있겠습니까? 우리나라에는 정직하고 성실하게 살아가지 않는 사람들이 너무 많습니다. 그래서 저는 우리가 IMF 사태를 만났을 때, 고통스러웠지만 마음 한편으로는 진심으로 하나님께 감사했습니다. 실제로 그 어려움을 계기로 해서 우리나라의 국민들은 많이 각성하였고, 겸손해졌고, 생각들도 많이 바뀌게 되었습니다.

그런데 문제는 우리나라 백성들이 가지고 있는 장점이면서도 단점인 망각의 성향입니다. 민족의 정신이란 유구한 역사를 휘어 감고 흘러내려 온 커다란 강물과 같아서 여간해서는 쉽게 개조되지 않습니다.

일평생 올바른 원칙을 따라서 살며 자신의 사상과 삶을 일치시켜 놓은 사람만이, 그 거대한 강물에 새로운 흐름을 일으킬 수 있습니다. 그러한 사람들이 하나 둘 나타나 옳지 못한 것에 항거하고 큰 목적을 위해 스스로를 헌신하는 모습을 보여줄 때, 민족의 정신도 그 새로운 흐름을 받아들여 서서히 바뀌어 가는 것입니다.

그러면 과연 누가 자신의 사상을 삶으로 승화시키며 살 수 있을까요? 이것은 탁월한 정치가나 위대한 사상가가 할 수 있는 일이 아닙니다. 끊임없이 성화의 삶을 따라 분투하며 살아온 그리스도인들이 바로, 자신이 가진 신앙의 정신을 삶으로 나타내며 살 수 있는 사람들입니다. 따라서 저는 우리 민족을 고칠 수 있는 마지막 가능성을 가진 곳이 교회라고 생각합니다. 교회가 새로운 정신사적인 물줄기를 만들어 이 세상의 탁류 속에 흘려보내야 하는 것입니다. 그런데 교회가 이 일을 하기 위해서는 한두 사람의 힘만으로는 안 됩니다. 많은 그리스도인들이 삶으로써, 올바르고 성실한 삶을 외치며 살아야 하는 것입니다.

그러나 안타깝게도 현실 속의 그리스도인들은 우리가 꿈꾸는 모습과 거리가 멉니다. 예수 믿는 사람이라 좀 나을 줄 알고 고용했는데, 그들이 회사일보다 신우회를 조직하는 데 더 마음을 쓰고 근무 시간에 주보나 복사하기 일쑤라면 어떻게 그 회사에 선한 영향을 끼칠 수 있겠습니까? 세상 사람들은 교회를 향해 말합니다. 그리스도인들은 구구절절 옳은 말을 잘도 늘어놓지만, 귀를 막고 눈으로 그들의 삶을 보면 하나도 특별한 것이 없다고 말입니다. 그래서 그리스도인들을 꼭 있어야 할 존재로 생각하지 않습니다.

그리스도인으로서 세상에 선한 영향을 끼치며 살아가기 위해서는 남들만큼 살아서는 안 됩니다. 거듭나지 않은 사람들에게는 본성상 기독교 신앙에 대한 강한 반감이 도사리고 있기 때문에, 할 수만 있다면 신앙을 가진 사람들을 박해하려고 합니다. 따라서 세상 사람들에게 아주 작은 꼬투리만 잡혀도, 곧 하나님의 영광을 가리게 되는 일들이 일어납니다.

기억하십시오. 그리스도인들이 남들만큼만 착하고 부지런하게 살아서는 이 세상에 아무 감동도 줄 수 없습니다. 우리가 하나님 아버지의 자녀로서 이 세상에서 그 분의 이름을 빛내며 사는 길은 이 세상의 기준을 훨씬 뛰어넘는 현저하게 선한 삶을 살아가는 것입니다.

### 직장 생활에서 돈 이상의 가치를 찾아라

그러므로 우리는 신앙 생활에 있어서뿐 아니라 사회 생활에 있어서도 최선을 다해 부지런히 살아야 합니다. 제가 만난 어느 목사님은 자기 교회의 한 지체가 교회를 어찌나 사랑하는지, 직장에서 일하다가도 교회에서 부르기만 하면 바로 달려온다고 자랑스럽게 이야기하였습니다. 그러나 그 말을 듣는 제 마음은 무겁기만 했습니다. 그리스도인에게 자신의 일터는 선교지요, 사역지입니다.

직장을 그저 돈을 벌기 위해 다녀서는 안 됩니다. 하나님께서는 당신의 자녀들이 하루 온종일 그리스도인이기를 원하십니다. 직장에 있는 동안은 돈버는 기계이고, 퇴근 이후부터만 당신의 자녀이기를 원치 않으십니다.

영국에서 있었던 일입니다. 늘상 스트레스와 짜증에 시달리며 사는 하원 의원이 있었습니다. 어느 날, 그는 차를 타고 집 앞을 지나다가 골목을 쓸고 있는 청소부를 보게 되었습니다. 초라한 행색의 그 청소부는 땀을 흘리면서도, 노래를 부르며 즐거운 표정으로 청소를 하고 있었습니다. 하원 의원은 의아해 하며 차에서 내려 그에게 물었습니다. "당신은 이 일이 그렇게 즐겁습니까?" 그러자 청소부가 대답했습니다. "예, 그렇습니다. 저는 지금 하나님께서 창조하신 아름다운 세계의 한 모퉁이를 정화하고 있는 중이거든요"라고 대답했습니다.

저도 직장 생활을 했었습니다. 예수 믿고 변화받기 전에는 직장 다니는 것이 지긋지긋해서 사표를 품고 다닌 적도 있었습니다. 그러나 예수님을 만나고 깊이 변화된 다음부터 얼마나 감사하게 직장 생활을 했는지 모릅니다. 하나님께서는 요셉에게 동행해 주신 것처럼, 저의 직장 생활에도 동행해 주셨습니다. 직장에 있으면서 저는 힘닿는 대로 직장의 동료들에게 복음을 전했습니다. 그리고 저녁 때 함께 술을 마시며 끈끈한 유대 관계를 형성해 어떤 이점을 얻는다거나 선물을 싸들고 상사를 찾아가 인사를 청탁하는 일들을 포기하는 대신, 회사가 꼭 필요로 하는 유능한 인재가 되기 위해 애썼습니다. 또한 유능해지는 것의 한계는 성실로라도 보충하고자 하였습니다. 그래서 저는 남보다 좀더 일찍 출근하고, 좀더 늦게 퇴근하였으며, 남보다 더 많은 일을 하며 묵묵히 다른 사람들을 돕고자 하였습니다. 그리고 그러한 자세로 직장 생활을 하자, 하나님께서 저의 직장일에도 함께해 주셨습니다.

세상을 고치기 원한다면, 먼저 나 자신이 이 세상에 꼭 필요한 존재가 되어야 합니다. 그래야만 우리의 말에 힘이 실립니다. 나 자신이 주위 사람들에게 유명무실한 존재가 될 때, 내가 전하는 예수님도 그들에게 그렇게 여김받을지 모릅니다. 따라서 우리는 어디에 있건 신앙의 태도를 분명히 하고, 꼭 필요한 사람이 되어야 합니다.

때로는 사업을 하고, 직장을 다니는 과정을 통해서 하나님께서 우리를 진실한 신자로 만들어 가시기도 합니다. 성화의 진전이 교회 안에서만 일어나는 것이라고 생각하는 것은 어리석은 일입니다. 그리스도인에게 성화는 삶의 모든 영역을 통해 일어나는 사건입니다.

교회에서의 섬김이 사회에서 하는 일보다 더 중요하고 귀한 일이라고 생각하지 마십시오. 교회와 세상을 구분하려는 시도는 교회에서도, 세상에서도 신자다운 삶을 살지 못하는 사람들의 생각입니다. 교회 안에서 하나님의 마음을 시원케 섬기는 사람은 세상에서도 하나님께 충성스럽게 삽니다. 세상이나 교회나 죄인들이 모인 곳인데, 세상이 더러우면 얼마나 더럽고 교회가 도덕적이면 얼마나 도덕적이겠습니까?

우리들이 정말로 추구해야 하는 것은 교회와 세상의 구분없이 어디서나 정직하고 올바르게 사는 삶입니다. 혹시라도, 여러분은 교회에서만 정직한 신자이고, 세상에 나오면 세파에 영합하여 적당히 탈세도 하고 뇌물도 건네는 영악한 사람이 아닙니까?

개업식 때 단지 고사 지내지 않고 예배드린다고 해서 하나님께 영광 돌리는 기업이 되는 것은 아닙니다. 실제로 그 기업이 하나님의 원칙을 따라 경영될 때 비로소 하나님께 영광 돌리는 기업이 되는 것입니다. 제가 섬기는

'열린교회'에는 큰 사업을 하면서도 정직하게 법대로 소득을 신고하여 바르게 세금을 내며 사는 사람들이 많이 있습니다. 그들이 세무소로부터 얼마나 부당한 대우를 받는지 모릅니다. 그러나 그들은 경제적으로나 사회적으로 막대한 불이익을 감수하면서도 정직하게 살고자 합니다. 그렇게 사는 것이 은혜 주신 계획이라고 믿기 때문입니다.

이제 우리는 분명히 알아야 합니다. 돈을 버는 것은 우리가 사회에 나가 직장 생활을 하고 사업체를 경영하는 첫 번째 이유가 아닙니다. 우리의 사회 활동의 최우선 목적은 사람이 이 땅에 태어나서 어떻게 살아가야 하는지를 그리스도를 모르는 세상에 보여주기 위해서입니다. 이것이 바로 그리스도인들의 직업의 소명 의식입니다.

## 건강한 사상을 사라지게 하는 게으름

그런데 신자가 일단 게으름이라는 악에 빠지기 시작하면 세상을 향해 이러한 직업적 소명 의식을 드러낼 수 없습니다. 게으름이 들어오면, 신자의 지성에서 건강하고 바람직한 정신적 작용들이 점차 사라지기 때문입니다. 그래서 게으르게 사는 사람들 중에서는 투철한 사상을 지닌 사람을 만나 보기 힘듭니다.

여러분은 아마도 가나안 농군학교를 설립한 김용기 장로님을 알고 계실 것입니다. 지금은 작고하셨지만, 생전에 그 분은 늘 새벽 4시면 일어나 나라와 민족을 위해 간절히 기도하셨습니다. 분명한 사상을 가지고 후진들을 가르쳤고, 몸소 절약하는 생활과 근면 성실한 삶을 실천하셨습니다. 이처럼 뚜렷하고 건강한 사상을 지닌 사람들은 어김없이 부지런한 사람들입니다.

게으른 사람들은 분명하게 정리된 정신 세계를 갖고 있지 못합니다. 그래서 타고난 입담으로 개똥철학을 널리 퍼뜨릴 수는 있을지 몰라도, 많은 백성들이 믿고 따라갈 수 있는 건강한 사상을 소유할 수는 없습니다.

따라서 게으름은 악입니다. 게으름은 우리의 한시적인 인생을 낭비하게 만드는 것이기 때문입니다. 우리가 게으르게 살며 인생을 선용하지 않는 것은 우리 자신에게도 뼈아픈 손해이지만, 하나님 앞에 돌이킬 수 없는 커다란 범죄요, 불충입니다.

## 진전 없는 삶

게으른 자의 가장 큰 특징은 일상적인 것에서 진전이 없는 삶입니다. 그래서 본문은 도전이 없는 삶을 되풀이하는 게으른 자의 모습을 이렇게 회화적으로 묘사합니다. "문짝이 돌쩌귀를 따라서 도는 것같이 게으른 자는 침상에서 구으느니라"(잠 26:14).

돌쩌귀가 무엇인지 아십니까? 돌쩌귀란 문짝을 문설주에 달아서 여닫게 하기 위한 장치로, 오늘날 영어로는 힌지(hinge)라고 합니다. 이는 문을 달 때 문을 지탱하면서 동시에 열렸다 닫혔다 움직일 수 있도록 아래와 위에 박는 것인데, 암수 2개의 쇠붙이로 되어 있습니다. 일단 문이 만들어지면 문은 열리든 닫히든 계속 이 힌지(hinge)를 따라 돌기 마련입니다.

그런데 게으른 사람은 문이 이렇게 돌쩌귀를 따라 움직이는 것처럼 무엇을 하건 침대를 중심으로 움직인다는 것입니다. 침대가 그의 인생의 돌쩌귀가 되어서 무엇을 하건 거기서 벗어나지 못하고, 그 주변만 맴돌다가 이내 그리로 복귀하고 만다는 것입니다. 이렇게 살기 때문에 게으른 사람에게는 발전이 없습니다.

게으른 사람에게는 기본적으로 자기 속에 있는 무엇을 쏟아 내거나, 자기가 가지고 있는 체력을 소진하거나, 자기가 가지고 있는 물질을 헌신하거나 해서라도 뭔가를 이루어야 하겠다는 목표가 없습니다. 물론 게으른 사람에게도 꿈은 있습니다. 그에게도 자신이 되고자 하는 모습이 있고, 이루고 싶은 무언가가 존재할 것입니다. 그러나 그것은 목표라고 부를 수 있는 것이 아닙니다. 목표라고 하는 것은 자기를 불태워서 매진(邁進)하는 실제적인 삶을 불러일으킬 수 있을 때 비로소 목표가 되는 것이지, 그것을 위한 실제적 삶은 싫고 단지 그것 자체만 원할 뿐이라면 그것은 한낱 희망 사항에 불과합니다.

예를 들어 가난해서 지게질을 하며 사는 사람이 있다고 가정해 봅시다. 그가 지게로 물건을 운반하는 것이 너무 힘들어서 리어카를 사려는 목표를 세우고 열심히 저축하고 있다면 그것은 목표입니다. 그러나 그가 지나가던 고급 승용차를 보고 자신도 당장 그런 차를 타고 다니고 싶다고 생각하는 것은 목표가 아니라 희망 사항입니다. 목표는 구체적인 실천 계획이 서 있고, 노력하면 성취가 가능한 단계에 있어, 꿈꾸는 이로 하여금 그것을 생각하면서 자신의 삶을 그 목표에 부합하는 방향으로 끌고 가게 하는 것입니다. 망상이나 희망 사항을 가지고 사는 데는 비용이 안 들지만, 구체적 목표를 가지고 사는 데는 반드시 비용이 듭니다. 어떤 목표를 이루기 위해서는 꼭 희생하여야 할 것이 있기 때문입니다.

얼마 전, 잡지에서 세계적으로 인정받는 한국인 발레리나의 발 사진을 보았습니다. 그 발은 상처와 굳은살들로 뒤덮여 차마 인간의 발이라고 할 수 없을 정도였습니다. 그녀가 만들어 내는 아름다운 발레 동작들은 그 발의 모양을 그렇게 만들 정도의 초인적인 연습이 빚어 낸 결과물이었던 것입니다.

자신을 바꾸는 목표는 언제나 자신의 절제와 희생을 요구합니다. 그런데 게으른 사람은 그런 절제와 희생을 싫어합니다. 그래서 늘 그 모습 그대로 머물러 있을 수밖에 없는 것입니다.

### 분명한 목표가 없는 삶

저는 늘 성도들에게 '단순한 삶'을 요구합니다. 단순한 삶을 살지 않고는 하나님 앞에 충성될 수가 없기 때문입니다. 충성된 사람의 라이프 스타일은 단순합니다. 한 가지 뚜렷한 목표를 향해서 자신의 삶을 재정렬하기 때문에 단순해질 수밖에 없습니다. 신자의 삶이 단순해지지 못하는 것은 여러 가지 가치를 동시에 추구하기 때문입니다. 하나님을 기쁘시게 하는 삶도 원하지만, 자신의 만족과 가족들의 안락과 세상의 평가도 포기할 수는 없기 때문입니다.

청교도 존 오웬(John Owen)은 순전한 그리스도인(genuine christian)의 궁

극적인 특징을 하나님의 영광이라는 분명한 삶의 목표를 가지고 사는 것으로 보았습니다. 하나님의 영광을 위하는 삶은 '하나님의 영광' 이라는 말을 입에 달고 산다고 되는 것이 아니며, 막연하게 하나님의 영광을 위해 살아야지 하고 생각한다고 되는 것도 아닙니다. 그것은 그 삶의 모든 것이 하나님의 영광을 높이는 하나의 목표에 적합하도록 재편되었을 때 비로소 가능해지는 삶입니다. 따라서 충성스럽고 순전한 삶은 단순한 삶과 떼어놓을 수 없으며, 단순한 삶은 목표가 분명한 삶과 밀접하게 연결되어 있습니다.

아무리 분명하고 뚜렷하게 추구된다고 하더라도 그것이 별다른 노력 없이도 얻을 수 있는 것이라면 목표가 될 수 없습니다. 새벽 5시 반에 일어나서 새벽 기도 나오겠다고 하는 것은 목표가 될 수 있지만, 새벽 기도 안 하고 아침 9시까지 자겠다고 하는 것은 목표가 될 수 없는 것과 같은 이치입니다.

돌쩌귀를 따라 문이 돌듯이 침상을 중심으로 나태하게 사는 사람들은 자기 안에 있는 게으름과 태만이 시키는 대로 종 노릇하며 살아가는 사람들이지, 침대를 떠나지 않는 것을 삶의 목표로 둔 사람은 아닙니다. 그러므로 게으른 사람들은 목표가 없는 사람들입니다. 그리고 그렇기 때문에 자기를 절제하거나 재정돈하여야 할 필요를 느끼지 못합니다.

분명한 목표 없이, 하나님을 향한 추구함 없이, 되는 대로 하루하루 살아가는 것이 바로 게으른 사람의 모습입니다.

## 부지런함을 가장한 게으름

그런데 오해하지 마십시오. 여러분이 '나는 침상에서 구르지는 않는다. 나에게는 그럴 시간이 없다. 나는 하루 종일 분주하므로 나는 이 구절이 지적하는 게으른 사람이 아니다' 라고 생각하신다면 그것은 틀린 생각입니다. 아무리 하루를 분주하게 살아도 그에게 하나님의 자녀로서 마땅히 가져야 할 분명한 목표가 없다면, 그는 게으른 사람입니다.

정말로 하루 종일 아무 일도 안 하고 침상 위를 구르면서 지내는 사람은 소수입니다. 성경이 지적하는 게으른 사람은 그들뿐 아니라, 매일매일 바쁘게 살지만 그저 정해진 자신의 일과 속에서 생각 없이 습관적으로 살고 있는 사람들까지 포함합니다. 생각해 보십시오. 돌쩌귀에 의해 문틀에 단단히 붙들린 문도 가만히 있지 않고 쉴새없이 열렸다 닫혔다를 반복합니다. 그 때마다 문은 돌쩌귀를 따라 돕니다. 그러나 아무 변화도 없습니다. 그냥 반복적으로 움직일 뿐입니다.

바쁘게 산다고 해서 모두 하나님 앞에 부지런한 것은 아닙니다. 자기가 무엇을 하고 있고, 왜 그것을 하고 있으며, 그것을 통해서 하나님께서 어떻게 영광을 받으시는지 모르면서 분주하게 사는 것은 문이 돌쩌귀를 따라 단지 바쁘게 도는 것 같은 삶일 뿐입니다. 육체적으로 볼 때는 게으른 삶이 아니지만, 그의 내면의 영적 세계는 하루 종일 침상을 구르는 사람보다 크게 나을 것이 없습니다.

왜 사는지 모르고, 어떻게 살아야 하나님 앞에 영광을 돌리는지도 모르며, 그렇게 살아가는 동안 자신의 영혼은 어떻게 되어 가고 있는지도 모르며 그저 반복해서 매일의 일과를 되풀이할 뿐입니다.

역설적이지만, 분명하고 올바른 목표 없이 사는 사람들은 바쁘다는 핑계로 하나님 앞에서 게으르게 살기도 합니다. 바쁘다는 핑계로 영적으로는 침상 위를 구르며 사는 삶을 방관하는 것입니다. 그들은 바쁘다는 핑계로 기도도 하지 않고 성경도 읽지 않습니다. 여러분은 목표를 가지고 사십니까? 분명한 목표를 가지고 신앙 생활을 하십니까?

이 책을 읽고 있는 독자들 대부분은 다른 사람들로부터 게으르다는 평가를 받지 않는 사람일 것입니다. 주일이면 아침 일찍 교회에 나와, 여러 가지 섬김을 다하고 있을지도 모릅니다. 어쩌면 믿지 않는 가족들로부터 교회에서 산다는 소리를 듣는 사람일 수도 있습니다. 친구들로부터 교회에 미친 사람으로 여겨지는 사람일 수도 있습니다. 그러나 그것이 무슨 의미가 있습니까?

주일 예배, 수요 예배, 금요 기도회 모두 빠지지 않고 참석하고 있다 할지라도, 그저 규칙적으로 반복되고 있을 뿐이라면 그에게 예배는 하나의 세상일과 다를 바 없습니다. 자신의 영혼에 참된 변화가 없는 것에 대한 정직한 고뇌, 변화되지 않는 자신을 향한 진지한 염려와 경건한 근심, 진리를 알고자 하는 실천적인 열심, 그것을 도우시는 하나님의 은혜에 대한 사모함이 없는 삶은 종교 생활이지 신앙 생활이 아닙니다.

이렇게 사는 신자는 세상 사람들로부터 아무리 부지런하다 인정받아도, 하나님 보시기에는 교회 등록을 돌쩌귀 삼아 돌고만 있을 뿐입니다.

## 앙꼬 없는 찐빵

돌쩌귀를 따라서 문이 도는 것처럼 일정한 상태가 반복적으로 되풀이될 뿐, 그 이상의 진전이 없는 사람들은 살아가는 것이 아니라, 삶에 끌려 다니는 것입니다. 살 수밖에 없는 생활의 여건이 그를 억지로 끌고 다니며 살게 하는 것입니다. 그런데 이렇게 인생을 살고 나면 정말 코피 나게 열심히 살았어도 주님을 위해서 산 것은 하나도 없게 됩니다.

분명한 목표 의식이 빠진 채 단지 일에 쫓겨 어쩔 수 없이 부지런해진 것이라면 그것은 하나님 보시기에 앙꼬 없는 찐빵에 지나지 않을 것입니다. 그들은 어떻게 하다 보니 일이 많아져서, 바쁘게 여기저기 불려 다니며 잠시도 쉬지 않고 살았습니다. 그러나 남은 것은 하나님과의 관계의 부족으로 인한 마음의 괴로움뿐입니다. 그래서 오히려 그 괴로움을 잊기 위해 더 일에 몰두합니다. 하지만 남들에게 미쳤다 소리를 들을 정도로 부지런히 교회를 오가도 마음의 허전함은 메워지질 않습니다. 시계추처럼 왔다갔다 움직이기만 했을 뿐, 그 마음은 주님 자신에 대해 열렬하게 타올라 본 적이 거의 없기 때문입니다.

목표가 없이 일상에 끌려 다니는 삶은 피곤할 수밖에 없습니다. 타율적인 삶이기에 그렇습니다. 더구나 이런 삶을 지속하게 되면 영혼은 피곤하고 육체는 지치기 때문에, 정해진 외적 의무 이상은 행하지 않으려고 하는 자세가 몸에 배게 됩니다. 그리고 의무적으로 해야 하는 일들조차도 점점 형식만 남은 껍데기뿐인 것으로 변질되고 맙니다.

이런 사람들은 말씀을 들으면서 자극을 받고 새로운 것을 깨닫게 되어도 삶의 진전이 없습니다. 오히려 그들은 깨달은 진리들이 머리 속에서 잊혀지는 것을 은연중에 다행으로 여깁니다. 그것이 계속 자신의 마음에 남아 양심을 찌르는 것을 원치 않기 때문입니다. 따라서 이런 사람들에게 마음을 드리는 신앙 생활이란 절대적으로 불가능합니다. 그리고 그런 마음의 게으름 속에서 정욕은 번성합니다.

목표 없이, 규칙적으로 일상적인 삶을 고단하게 되풀이하는 것은 우리의 영혼을 고사시키는 일입니다. 이렇게 사는 사람들에게는 가슴 저미는 기도 제목도 있을 리 없습니다. 왜냐하면 간절한 기도 제목이 있기 위해서는 성취되지 않은 미완의 목표가 있어야 하는데, 이런 사람들에게는 간구를 통해 하나님으로부터 얻고 싶은 것 자체가 없기 때문입니다. 그러면서 똑같은 삶을 계속 규칙적으로 반복하는 것이야말로 내용은 사라지고 형식만 남아 있는 '역사와 전통에 빛나는(?) 교회 생활' 입니다.

## 목표를 따라 사는 방식, 성실함과 부지런함

하나님 보시기에 게으르지 않은 자가 되기 위해서는 먼저 분명한 목표를 가지고 신앙 생활을 해야 합니다. 그리고 그 목표를 따라 성실함과 부지런함으로 살아가야 합니다.

일을 시켜 보면 그 사람에 대해 많은 것을 알게 됩니다. 그래서 몇 번 함께 일을 하고 나면 그 사람을 통해 최상의 결과를 끌어내는 방법도 터득하곤 합니다. 그런데 간혹 일을 시키고 난 후, 반드시 다른 사람을 불러 그가 한 일을 점검하거나 그가 미처 못한 일을 마무리하도록 이중 장치를 해야 하는 사람이 있습니다. 이런 사람이 바로 성실함이 없는 사람입니다. 주어진 일을 체계적인 질서에 따라 꾸준히 해 나가는 것이 아니라, 마음 내키면 열심히 하고 그렇지 않으면 적당히 꾀부리기도 하는 사람입니다.

성실하지 않은 삶의 특징은 불규칙하다는 것입니다. 새벽 기도 하기로 작정했다면, 그 약속을 따라 꾸준히 노력하며 누가 보든지 안 보든지 변함없이 실천하는 것이 성실한 것입니다. 물론 어떤 때는 불가피한 이유로 실천하지 못할 수도 있습니다. 그러나 성실한 사람이라면 어떠한 상황에서도 세운 바 결심대로 실천하고자 노력하는 일을 포기하지는 않습니다.

그런데 여기서 노력이란 인내하는 노력입니다. 그것은 단지 하기 싫을 때까지만 하고 마는 것이 아닙니다. 노력하는 것은 참는 것까지를 포함합니다. 즉, 하기 싫거나 할 수 없을 때가 오더라도 목표가 있기 때문에 참고 계속하고자 애쓰는 것입니다. 목표를 좇아 살아가기 위해서는 이러한 성실함이 필수적입니다.

그리고 더불어 요구되는 것이 부지런함입니다. 게으르고자 하는 자신을 밀치고 일어날 수 있어야 목표를 따라 살 수 있습니다. 부지런함이란 열성 있고 꾸준한 것으로, 부지런함이 없다면 지속적으로 목표를 따라 살 수 없습니다.

그리스도인에게는 일과 섬김, 영적 생활에 이르기까지 성실함과 부지런함이 성화를 위한 모든 노력에 배어 있어야 하는 것입니다.

## 게으름과 영혼의 실증

부지런한 사람의 마음은 늘 반짝이는 거울과 같아서 자기 자신의 모습을 비쳐 줍니다. 남이 볼 때는 일상적이기만 한 일들 속에서도 그는 예민하게 자신을 살피며 순간 순간 고민합니다. '내가 이렇게 하나님을 섬겨도 되는가? 중요한 무언가가 빠져 있는 것은 아닌가?'

그런데 어떤 사람은 이런 괴로움이 조금만 느껴져도 하던 것을 다 집어치우고 맙니다. 이것은 이런 고민을 아예 느끼지 못하는 것만큼이나 심각한 문제입니다. 영혼의 고뇌를 통해 일어나야 하는 바람직한 변화는 하나님을 의지해야 할 필요를 더 간절히 느끼게 되는 것입니다.

자기가 정말 쓸모 없는 인간이라는 사실을 깊이 인식하고 삶의 모든 영역에서 낮고 겸비한 자세로 하나님을 바라볼 때, 그 때 비로소 우리에게도 희망이 있습니다. '이렇게 부족한 내가 어떻게 해야 한번밖에 없는 인생을 허무하게 살지 않고 하나님의 영광을 위하여 살 수 있을까?' 하고 계속 고민하며 살아갈 때, 우리의 삶은 구르던 일상의 침상을 떠나 하나님께로 한걸음 더 나아갑니다. 그래서 겉으로 보기에는 돌쩌귀를 따라 문이 돌 듯 늘 일상이 반복되는 삶이지만, 내면의 세계에 있어서는 끊임없이 새로운 도전이 계속되고 놀라운 진전이 나타나는 삶이 되는 것입니다.

겉으로는 게으르지 않은 자의 게으름이 갖는 심각한 위험은 영혼의 실증입니다. 그리고 그것은 잘 드러나지 않습니다. 인간의 외면적 삶은 영혼이 깊이 고뇌하며 부지런히 새로운 도전을 거듭하며 살아갈 때와 그러지 않을 때가 크게 다르지 않을 수 있습니다. 영혼의 문제를 방관한다고 해서 그가 한 아내의 남편 자리에서 이탈된다거나 자식들의 아버지 자리를 박탈당한다거나 하는 것은 아닙니다.

은혜를 받았다고 해서 삶의 현장이 이동하는 것은 아닙니다. 직장에 다니던 사람은 여전히 직장 생활하고, 가정을 돌보던 주부는 여전히 가정을 돌보며 살아갑니다. 그가 그 전에 사회적으로 엄청난 물의를 일으켰거나, 주변으로부터 강하게 지탄받을 만한 삶을 살았던 사람이 아닌 이상, 큰 은혜를 받은 이후에도 기본적인 일상 생활의 틀은 크게 바뀌지 않은 채 되풀이되는 것입니다.

그러므로 남들은 드러나는 모습만 보고는 그가 형식적으로 살아가는 그리스도인인지, 괴로워하면서 자기 분투 속에 살아가는 그리스도인인지 구분하지 못합니다. 그래서 우리는 자신의 이 영적인 부분에 있어서의 게으름의 문제에 대해 방관하기 쉽습니다. 그리고 그것은 영적 싫증입니다.

하나님 보시기에는 위의 두 종류의 신자가 현격하게 구분이 됩니다. 하나는 죽은 삶이고 하나는 살아 있는 삶이기 때문입니다. 그 차이는 이루 말로 다할 수가 없습니다. 전자의 사람을 통해서는 하나님께서 모욕을 받고 계시다면, 후자의 사람을 통해서는 큰 영광을 받고 계신 것입니다.

## 영혼의 필요에 따라 삶을 재편하라

그러므로 우리는 영적으로나 육적으로나 게으르게 살아서는 안 됩니다. 우리는 먼저 무엇이 가장 중요하고, 무엇이 가장 가치 있는 것인지를 생각하고 그 우선 순위를 따라 자신의 삶을 재편해야 합니다.

환경이 좋게 변할 때까지 기다리지 마십시오. 환경은 영원히 우리편이 아닙니다. 오히려 환경은 우리가 이 땅에서 극복하고 싸우면서 이겨야 할 상대입니다. 잘 점검해 보십시오. 우리의 인생을 엉망으로 만드는 것은 환경이 아니라, 우리의 마음과 육체의 게으름입니다.

더구나 영적 게으름은 자신의 영혼을 망가뜨려 하나님과의 관계도 깨뜨리고 다른 사람들과의 관계도 깨뜨립니다. 그리고 다른 사람에게 그릇된 모본을 보여, 그 사람의 신앙 생활까지도 망가뜨립니다. 자신뿐 아니라 수많은 사람에게 해를 끼치며 살게 하는 것입니다.

이 책을 읽고 있는 여러분에게 묻겠습니다. 혹시, 뜻 없이 되풀이되는 고단한 삶을 살고 있지는 않습니까? 쉴새없이 바쁘게 하루를 보내고 있지만, 자신의 인생에서 하나님은 빠져 있는 것 같지 않습니까? 하나님의 일을 열심히 하는데, 정작 하나님과의 친밀한 관계는 누리지 못하고 있지는 않습니까? 만약 그렇다면 여러분이 아무리 성실하고 근면하게 살고 있다 할지라도 그것은 부지런한 삶이 아닙니다. 그 삶이 바로 본문에서 이야기하는 침상을 구르는 삶이며, 돌쩌귀를 따라서 부지런히 돌아가는 문과 같은 삶입니다.

삶의 외면적인 형식을 떠나, 그 삶을 살고 있는 자신의 영혼을 깊이 들여다보십시오. 여러분의 삶의 질을 정확하게 진단해 보십시오. 여러분의 영혼은 무엇을 고민하고 있는지 정직하게 귀기울여 보십시오.

새롭게 되어야 하지 않겠습니까?

## 도둑이 든 날

옛날에 게으르기로 소문난 농부가 있었습니다. 그 날도 역시 다른 사람들은 모두 밭으로 일하러 가고, 그 게으른 농부만이 텅 빈 집에 남아 하루 종일 빈둥거리고 있었습니다.

나른한 오후, 언제나처럼 대청 마루에 누워 낮잠을 자고 있는데 이상한 소리가 들렸습니다. 무슨 소린가 싶어 농부는 게슴츠레 눈을 떴습니다. 그런데 이게 웬일입니까? 환한 대낮임에도 불구하고 어떤 간큰 도둑이 담을 넘고 있는 것이 아니겠습니까? 농부가 잠결에 들은 소리는 바로 도둑이 낡은 담장을 타 넘으면서 떨어뜨린 벽돌 소리였던 것입니다. 하지만 도둑의 출현에도 불구하고 농부는 다시 스스르 잠으로 빠져들었습니다. "어어, 도둑이네……. 저놈, 담장을 넘어 마당에 들어오기만 해봐라" 중얼거리며 말입니다.

그런데 이내 다시 "쿵" 하는 소리가 들렸습니다. 농부가 다시 힘겹게 졸린 눈을 떠보니 도둑이 담에서 뛰어내려 마당을 살금살금 걸어오고 있었습니다. 하지만 농부는 다시 무겁게 내려오는 눈꺼풀을 이기지 못하며 속으로 중얼거렸습니다. "집안에 들어오기만 해봐라……." 농부가 깊이 잠든 줄로 안 도둑은 살금살금 집안으로 들어와 농부의 옆을 지나 안방으로 들어갔습니다. 하지만 여전히 농부는 잠에 취한 채 속으로만 중얼거렸습니다. "저 놈이 안방으로 들어가네……. 뭘 가지고 나오기만 해봐라……."

얼마 후 도둑은 안방에서 값이 나갈 만한 물건들을 한 보따리 짊어지고 나왔습니다. 그리고 대문 쪽으로 부지런히 걸어갔습니다. 게으른 집주인은 대문을 열고 나가는 도둑의 뒷모습을 보면서 여전히 잠에서 깨어나지 못한 채 잠꼬대처럼 이렇게 중얼거렸습니다. "이놈, 다시 오기만 해봐라……."

## 게으른 자일수록 그의 혀는 분주하다

본문은 게으른 자를 "밖에 사자가 있다. 나가면 나는 그 사자에게 찢겨 죽을 것이다" 하면서 집안에서 나오려 하지 않는 사람으로 묘사합니다.

현대 사회는 실내에서 일하는 직업들도 많이 있지만, 이 글이 기록될 당시는 농경 사회였으므로, 밖으로 나가지 않고는 일을 할 수 없었습니다. 집안에서는 농사를 지을 수도, 장사를 할 수도 없었기 때문입니다. 따라서 밖으로 나가려 하지 않는다는 것은 계속 빈둥빈둥 놀면서 도무지 일을 하려고 하지 않는다는 의미입니다.

본문에서 '게으른 자'라는 말은 히브리어로 '아첼'(עָצֵל)이라는 단어인데 이것은 '아찰'(עָצַל)이라는 동사에서 나온 말입니다. '아찰'은 '한가하게 기대다', '늦추다', '머뭇거리다'라는 뜻의 동사로 '게으르다'라는 의미를 지니고 있습니다.

잠언에 기록된 지혜자의 해석은 하나님의 백성들 사이에서 일어나는 삶의 상황을 보고 터득한 교훈들입니다. 그러면 게으른 자에 대한 잠언을 쓴 지혜자의 관점은 무엇일까요? 게으른 자를 바라보는 지혜자의 시선은 일상적인 데에서 그치지 않고 그의 영적인 부분으로까지 깊이 들어갑니다.

특별히 본문에서는 게으른 사람이 일의 의무를 회피하는 방식에 시선이 모아져 있으며, 그 게으른 자의 의무를 회피하는 방식은 바로 핑계라고 지적합니다.

게으른 자라고 해서 그의 혀까지 게으르다고는 생각하지 마십시오. 게으른 자일수록 핑계가 많고 변명이 많습니다. 몸은 게을러도 혀는 게으르지 않은 것입니다.

그래서 오히려 게으른 사람 중에 말을 잘하는 사람이 많습니다. 본문 속의 이 게으른 사람도 대단히 말을 잘합니다. 그는 자신이 밖으로 나가 일할 수 없는 이유를 아주 절절하게 표현하였습니다.

"밖에 사자가 있고, 길거리에도 사자가 있다. 내가 나가면 사자에 의해 찢겨 죽을 것이다. 그런데 내가 어찌 나갈 수 있겠는가?"

## 일과 쉼의 조화

그러면 대체 게으른 사람들은 왜 이렇게 핑계를 대는 것일까요? 게으른 것이 나쁘다는 것은 동서고금이나 종교에 상관없이 모두가 인정하는 사실임에도 불구하고, 왜 게으른 사람은 스스로의 게으른 삶을 정당화하고자 끊임없이 변명하는 것일까요? 그것은 게으른 사람은 본질적으로 빗나간 자기 사랑에 깊이 빠진 사람이기 때문입니다. 대부분의 경우, 게으른 사람들은 자신의 삶의 태도의 옳지 못함을 인정하려 하지 않습니다. 자신은 그저 자신이 원하는 바를 따라 충실하게 살고 있을 뿐이라고 생각합니다.

물론 사람이 항상 바쁘게 살아야만 하는 것은 아닙니다. 아주 성실하게 하나님을 섬기던 사람도, 때로는 쉬어야만 하는 때를 맞이합니다. 육신과 영혼이 일로 인해서 많이 지쳤을 때는 잠시 몸도 마음도 쉬게 하는 것이 하나님의 일입니다. 하나님께서는 인간을 무한정의 긴장을 견딜 수 있도록 만들지 않으셨고, 인간은 연약한 존재이기에 적절한 휴식의 때가 필수적입니다. 그래서 일할 때 확실히 하듯이, 쉴 때에도 확실하게 육체와 마음에 쉼을 주어야 합니다.

그러나 너무 자주 쉼을 필요로 한다면 그것 역시 문제입니다. 몸에 위험 신호가 오면 하루쯤 푹 쉬어 주는 것이 지혜로운 방법이지만, 이틀이 멀다 하고 '피곤할지도 모르니까 새벽 기도 나가지 말아야겠다' 라고 생각한다면 이것은 쉼을 빙자한 핑계입니다. 이것은 "밖에 나가면 사자가 나를 찢어 죽일 것이다"라고 하는 것과 같은 태도입니다. 새벽 기도 나가면 피곤이 사자와 같이 나를 찢을 것이라고 핑계 대고 있는 것이기 때문입니다.

따라서 적절한 쉼을 위해서는 우리의 본성 속에 남아 있어 그릇된 방식으로 자기를 위하는 부패한 성품에 대한 명확한 이해가 선행되어야 합니다. 그래서 옹호해 주어야 할 육체의 쉼의 요구와 죽이고 눌러야 할 정욕을 구분할 수 있어야 합니다. 그리고 이러한 구분은 자기 자신에 대한 정확한 이해에서 비롯됩니다.

우리는 영혼뿐 아니라 육체에 대해서도 내가 어느 지점까지 일할 수 있고, 어느 지점까지 긴장을 견딜 수 있는지를 이해하고 있어야 합니다. 그래야 일로부터 벗어나 휴식을 취하라는 내면의 권고가 창조의 질서가 시키는 요구인지 자신의 부패한 욕망이 시키는 것인지를 판단할 수 있습니다.

우리는 주위에서 특별히 몸이 약한 사람을 만나기도 합니다. 그것은 참 가슴 아픈 일이고, 우리는 그런 이들의 약함을 긍휼히 여겨야 합니다. 그러나 때로는 앞에서 지적한, 정당한 휴식의 요구와 게으름의 정욕을 구분하지 못하는 무지가 육신의 건강에 대한 그릇된 염려와 만나는 사람을 봅니다. 그들은 자신이 순수하게 아프기 때문에 자기 몸을 관리하는 것인지, 게으름이 건강에 대한 염려를 핑계 삼고 있는 것인지를 명확하게 구별할 줄 모릅니다. 물론 아픈 사람들에게는 건강한 사람들이 이해할 수 없는 연약함이 있습니다. 그래서 대체로 자신의 본질적인 연약함과 그릇된 자기 사랑으로 말미암은 게으름 사이에서 명확하게 자신의 위치를 파악할 수 있는 사람은 자기 자신뿐입니다.

그러므로 우리는 스스로 자기의 한계를 분명히 하고, 부패한 본성의 손짓을 냉정하게 외면해야 합니다. 그렇지 않으면 그것에 이용당하여, 자신도 속고 말 것이기 때문입니다.

## 게으름의 뿌리, 빗나간 자기 사랑

게으름의 궁극적인 원인은 자기 사랑입니다. 사실 게으른 사람이라고 해서 힘든 일을 전혀 하지 않는 것은 아닙니다. 아무리 게으른 사람이라도 자기가 좋아하는 일은 열심히 합니다.

온종일 빈둥대며 텔레비전만 보는 사람이 있다고 칩시다. 어느 날, 그가 가장 좋아하는 프로그램을 보고 있는데 갑자기 텔레비전이 고장나고 말았다면, 아마 그는 벌떡 일어나 신속하게 그 텔레비전의 수리를 위해 움직일 것입니다. 상황이 다급하면 그 무거운 텔레비전을 들고 수리점으로 뛰어갈 수도 있을 것입니다. 과연, 무엇이 그 게으른 사람으로 하여금 분주하게 움직이게 하였을까요? 고장난 텔레비전이 그를 각성시켜 정신차리게 한 것일까요? 그렇지 않습니다. 텔레비전을 고치기 위해 분주하게 움직이는 순간에도 그는 게으른 사람입니다. 다만 자기가 좋아하는 것을 위해 잠시 바쁘게 움직이는 것일 뿐입니다. 그러므로 게으름의 궁극적인 뿌리는 빗나간 자기 사랑입니다.

따라서 자기 중심적으로 움직이는 사람이라면, 그가 아무리 바쁘게 하루 일과를 보내고 있다고 하더라도 게으른 사람입니다. 그래서 게으른 사람치고 탁월한 영성을 소유한 사람은 없습니다. 성경을 보십시오. 탁월한 영성을 소유했던 사람 가운데 게을렀던 사람은 한 사람도 없습니다. 하나님께서 게으른 사람에게 그런 아름다운 선물을 주실 리가 없기 때문입니다. 하나님보다 자신을 사랑하는 사람에게 그런 은혜를 주실 리가 없기 때문입니

제가 게으름의 뿌리인 자기 사랑을 '빗나간 자기 사랑' 이라고 표

데에는 이유가 있습니다. 그 자기 사랑을 통해서는 자신에게도 다른 사람에게도 돌아오는 이익이 전혀 없습니다. 여러분의 가족 중 게으른 사람이 있다고 생각해 보십시오. 아마 집안에 불화가 그칠 날이 없을 것입니다. 남편이 게으르면 온 가족이 힘들고 고단하게 살 것이고, 부인이 게으르면 모든 집안 식구들이 괴로움을 겪을 것입니다. 그리고 게으른 사람은 그들 때문에 괴롭게 될 것입니다.

성경은 충성스러운 자는 추수할 때 마시는 한 그릇 얼음 냉수에, 게으른 자는 눈의 연기와 이의 초(醋)에 비유했습니다(잠 10:26, 25:13). 충성스런 사람은 부리는 사람의 마음을 시원하게 하지만, 게으른 사람은 부리는 사람의 마음을 괴롭힌다는 의미입니다.

### 자기 사랑의 정체

그러면 끊임없이 거룩한 삶을 살지 못하도록 우리의 발목을 붙드는 자기 사랑의 정체는 무엇일까요? 그것은 하나님보다 자기 자신을 더 위하는 것입니다. 쉽게 말해, 인간의 게으름은 거룩한 삶의 목표를 성취함으로써 하나님께 영광을 돌리며 얻는 보람보다, 지금 당장 좀더 편하게 살고자 하는 자기 자신의 육적인 요구를 붙드는 것입니다.

사실 인간에게 자기 사랑은 본능에 가까운 욕구입니다. 누가 그렇게 살라고 가르쳐 주지 않았는데도, 인간은 누구나 자신의 이익에 매우 민감합니다. 물론 개중에는 자기를 학대하는 삶의 방식을 취하며 사는 사람도 있지만, 이것도 자신을 왜곡된 방식으로 사랑하는 모습이라고 말할 수 있습니다. 이처럼 인간은 누구나 자기 자신을 사랑합니다. 그러나 인간은 스스로의 힘만으로는 결코 온전히 자신을 사랑할 수 없습니다. 왜냐하면 자기 자신을 향한 온전한 사랑은 하나님 앞에서 자신의 인생의 위치와 목적, 그 하나님께 받는 사랑의 정체, 그 사랑을 받으면서 살아가는 행복, 그 안에서 하나님께 영광을 돌리도록 창조된 자신의 신분을 분명히 자각하고 거기에 자기를 정확하게 맞출 때에 비로소 가능해지는 것이기 때문입니다. 이러한 정위(定位) 없이는 누구도 자기만을 위하는 이기적인 방향으로 흐르지 않고, 온전하게 자기를 사랑할 수 없습니다.

그런데 이러한 인식들을 자신에게 세워 가는 것은 엄밀한 의미에서 생활의 문제가 아니라, 영적 변화의 문제입니다. 하나님의 은혜를 통해 영적으로 변화받을 때에만, 그의 사고와 정서와 의지가 질서 있게 정돈된 틀을 갖출 수 있습니다. 그리고 이렇게 굽어지지 않은 마음의 틀 안에서만 우리는 하나님 앞에서의 자신의 존재 목적들을 정확히 깨달을 수 있습니다. 이러한 상태에서의 자기 사랑은 하나님 앞에 영광을 돌리면서 사는 삶의 훌륭한 도구가 됩니다.

하나님의 사랑을 제대로 경험하고 그 분의 성품을 알고 나면 그만큼 빗나간 자기 사랑에 빠지지 않게 됩니다. 하나님께서 어떻게 자기를 사랑하셨는가를 인격적으로 알게 된 사람들의 삶의 목표는 하나님을 사랑하는 것으로 재편되기 마련이고, 삶의 목표가 이렇게 하나님을 사랑하며 그 분을 위해 사는 것으로 정해지면 자기 사랑도 그러한 목적에 기여할 수 있는 방향으로 자리잡기 때문입니다.

그러나 자신의 위치와 존재 목적에 대한 올바른 인식이 없고, 하나님의 사랑에 대한 인격적인 경험도 없는 사람들의 자기 사랑은 빗나가기가 매우 쉽습니다. 그렇게 빗나간 자기 사랑은 거의 대부분 정욕을 따라 사는 삶으로 귀결됩니다. 그리하여 결국은, 자기 안에서 은혜는 약화되고 죄성은 힘을 얻게 되는 것입니다. 지혜자는 게으른 자에게서 이렇게 될 위험을 보았던 것입니다.

## 인간과 노동

하나님의 백성들의 삶은 하나님께서 책임지십니다. 공중 나는 새도 먹이시고 들에 핀 백합도 입히시는 하나님께서 어찌 당신의 백성들을 먹이지 않으시고 입히지 않으시겠습니까? 성경은 말합니다. "오늘 있다가 내일 아궁이에 던지우는 들풀도 하나님이 이렇게 입히시거든 하물며 너희일까 보냐 믿음이 적은 자들아 너희는 무엇을 먹을까 무엇을 마실까 하여 구하지 말며 근심하지도 말라"(눅 12:28-29).

그러나 우리가 꼭 기억해야 할 것이 있습니다. 하나님께서는 인간의 노동을 통해서 이 일을 하신다는 것입니다. 감나무 아래 누워 감이 떨어지기만을 기다리는 사람처럼, 아무 일도 하지 않은 채 그저 하나님께서 알아서 다 해주시리라고 믿는 것은 옳지 않습니다. 더구나 아무것도 하는 일이 없이 그렇게 지내는 삶의 동기가 게으름이라면, 그것은 은혜의 약속을 타락의 기회로 삼은 매우 악하고 불행한 행동입니다. 이런 삶이 말씀을 신뢰함으로 하나님께 온전히 의뢰하는 삶이라고 착각하지 마십시오. 이것은 위장된 게으름으로 자신의 육체뿐 아니라 영혼도 망치는 일입니다.

실제로, 게으른 사람들 가운데에는 인생에 대해서 긍정적인 생각을 가지고 있는 사람들이 많지 않습니다. 혹시 게으름에도 불구하고 긍정적인 생각을 가지고 있는 사람이 있다고 한다면, 십중팔구 그는 생각이 너무나 없어서 그런 것일 것입니다. 짐승들이 별다른 고민이나 불행의 인식 없이 살아가는 것처럼, 생각이 거의 없기에 그렇게 살아가는 것이지, 낙관할 만한 철학이나 가치가 있어서 그런 것은 아닌 것입니다.

경제적 활동에 참가하여 돈을 벌고 안 벌고 하는 것이 문제가 아니라, 노동을 하지 않는 것 자체가 하나님 보실 때에는 악한 일입니다. 노동은 죄가 들어오기 전의 인간에게도 참된 의무였고, 죄가 들어온 이후에도 여전히 인간에게 주어진 의무입니다. 인간은 노동을 통해서 하나님께 영광을 돌리게 되어 있는 것입니다.

어떤 사람들은 아담과 하와가 선악과를 따먹지 않았다면 우리는 에덴 동산에서 편안히 쉬고 있었을 것이라고 생각합니다. 그러나 이것은 틀린 생각입니다. 아담과 하와는 죄를 짓기 전에도 에덴 동산에서 노동을 하였습니다. 아담이 얼마나 많은 노동을 했는지 보십시오. 그 많은 짐승들에게 하나하나 이름을 붙여 주며, 창조주에게 위탁받은 이 세상을 관리해 나갔습니다(창 2:19–20). 만일 죄가 들어오지 않았다면, 우리는 에덴 동산에서 낮에 기쁘게 노동을 하고 저녁에 행복한 피로감을 느끼며 잠들었을 것입니다. 노동 그 자체가 징벌이 아니라 노동에서 맛보는 인간의 고통과 쓴 열매들이 죄에 대한 형벌임을 기억해야 합니다.

그런데 에덴 동산에서의 일들을 생각하며 우리는 인간의 노동에 대한 또 하나의 귀한 교훈을 얻게 됩니다. 죄가 없는 상태의 아름다운 에덴 동산을 번성해 나가도록 다스리는 데도 노동이 필요했다면, 죄로 말미암아 망가진 이 세상을 고쳐 나가는 일에는 얼마나 더 많은 노동이 필요할까 하는 것입니다. 따라서 우리는 게을러질 수 없습니다. 오히려 무엇을 하든지 부지런함과 성실함으로, 맡겨진 일들에 최선을 다해야 합니다.

가끔 미국이나 유럽에 가게 되면 본받고 싶은 모습들을 몇 가지 봅니다. 그 중 하나가 사회 보장 제도입니다. 그들이 가지고 있는 사회 보장 제도는 사람들을 무한정으로 아무 원칙 없이 구제해 주는 것이 아니었습니다. 정신박약이나 자폐증에 걸려서 정상적인 사회 활동을 하기 힘든 사람들에게 그저 먹고살 수 있는 돈을 던져 주고 마는 것이 아니라, 비용을 투자해서라도 그들에게 단순 노동의 기회라도 주려고 애를 쓰고 있었습니다. 정부에서 그렇게 정책적으로 지원해 주지 않으면, 그들은 죽을 때까지 구제비로 살아야 되는 사람들입니다. 그들을 평생 먹여 살릴 돈이 없어서가 아니라, 그런 체제는 그들을 인간다운 삶으로 인도할 수 없기에, 노동의 기회를 주기 위해 많은 투자를 아끼지 않는 것입니다.

미국이나 유럽의 사회 정책가는 인간에게 있어 노동이 지니는 본래적 의의를 잘 이해하고 있는 것 같습니다. 그래서 그들은 손쉽게 할 수 있는 일들을 의도적으로 정신 박약아나 자폐아 같은 사람들을 모아놓고 하게 합니다. 그리고 일이 제대로 되지 않더라도, 천천히 가르쳐 가며 일을 시키고 품삯을 줍니다. 그 사람들을 자기가 노동한 대가로 먹고살 수 있도록 만들어 주는 것입니다. 이것이야말로 그들을 사회의 한 일원으로서 살아갈 수 있도록 배려해 주는 훌륭한 일이라고 믿기 때문입니다.

노동은 인간으로 하여금 자신의 가치를 몸소 깨닫게 해줍니다. 자신의 존재 목적에 대한 명확한 인식도 그 목적에 부합하는 노동을 통해서 자신에게 각인됩니다. 힘씀이 있을 때 비로소 목적은 기쁨이 됩니다. 즉, "네 손이 수고한 대로 먹을 것이라"(시 128:2)는 하나님의 법칙은 일반 은총적 차원에서 도 하나님께서 주신 축복입니다.

## 고단한 삶으로의 부르심이 곧 축복이다

노동이 오히려 축복인 것은 육체적 삶의 영역에만 국한된 일이 아닙니다. 오히려 이것은 우리의 영적인 삶에 있어서 더욱 분명해집니다.

노동의 축복이 가장 잘 드러나는 영역은 성화의 영역입니다. 한때 저는 죄와의 싸움이 너무 힘겨워 '하나님께서는 왜 이렇게 복잡하고 어렵게 성화의 길을 만들어 놓으신 걸까? 한번 구원으로 성화가 영원히 완성되고, 죄에 대해서 아주 초연한 천사 같은 사람이 되어 이 세상을 살다 가게 하시면 얼마나 좋을까?' 라는 생각을 한 적이 있습니다.

그런데 시간이 지나면서 깨닫게 되었습니다. 하나님께서 그렇게 하지 않으시고, 길고 어려운 성화의 영역들을 신자들에게 주셔서 각자 열심히 하나님의 은혜 안에 거하려고 애를 쓰며 살게 하신 것은 놀라운 축복이었습니다. 신자들이 이렇게 죄와의 분투 속에서 살아감으로써, 하나님의 도우심을 의뢰하며 하나님만을 붙들고 살아가게 되기 때문입니다. 그리고 이것은 인간을 창조시의 원래 자리, 곧 절대적 의지와 순종으로 데려가시려는 하나님의 은혜이기도 합니다. 만일 하나님께서 신자들을 고단한 성화의 길 한가운데 두시고 분투하며 살아가게 하지 않으셨다면, 인간은 다른 방법으로 훨씬 더 빨리 부패하였을 것입니다. 하나님께서 성화를 위해 분투하라는 사명을 주셨기에, 우리는 이 세상에 살아 있는 동안 낙담하지도 교만하지도 않습니다. 그저 이미 얻었다 함도 아니요 온전히 이루었다 함도 아니기에 오늘도 어제의 은혜를 토대 삼아서 부지런히 살 뿐입니다(빌 3:12).

그런데 우리에게 과연 이 부지런함이 있습니까? 우리 각자에게는 주어진 직분과 역할들이 있습니다. 하지만 맡은 것만으로는 아무 의미가 없습니다. 그것들을 훌륭하게 수행해 내야 합니다. 그리고 맡은 바 일들을 훌륭하게 수행해 내기 위해서는 절대적인 헌신이 필요합니다.

그런데 한 사람에게 오직 한 가지 일, 한 가지 역할만 맡겨진 경우는 거의 없습니다. 대부분의 경우, 반드시 수행해야 할 여러 가지의 일들을 가지고 있습니다. 한 직장의 구성원으로서, 한 가정의 가장으로서, 한 교회의 직분자로서 등등 말입니다. 따라서 우리에게는 자신의 삶을 면밀히 살피면서 거룩한 목표에 집중하기 위하여 쓸모 없는 시간의 소비를 줄이는 일이 먼저 필요합니다. 그렇게 하지 않으면 주어진 여러 직분과 역할을 제대로 감당해 낼 수 없으며, 종국에는 여기저기 분주하게 다니기만 했을 뿐 제대로 한 것은 하나도 없는 현실에 직면할 것입니다. 섬길 수 있는 축복의 자리로 불러 주셨음에도 불구하고, 맡겨진 곳에서 단 한번도 하나님께 시원한 얼음 냉수가 되어드린 적 없고, 오히려 이에 초 같고 눈에 연기 같은 존재가 되어 하나님께 고통만 드리게 될 것입니다.

'몸은 하나인데 맡겨진 일은 많았노라. 시간이 없었노라. 그래서 별로 한 일이 없노라' 라는 변명은 하나님 앞에 아무 의미가 없습니다. 몸이 2개인 사람, 하루가 24시간이 아닌 사람은 아무도 없습니다. 그러므로 우리는 정직하게 인정하여야 합니다. 시간이 부족해서 할 일을 못한 것이 아니라, 부지런함이 모자라서 못한 것이란 사실을 말입니다.

## 지혜로울 때, 부지런함도 빛난다

그러면 어떻게 해야 더 부지런해질 수 있는 것일까요? 부지런함은 단지 기계적인 성실함과 근면함만을 가리키는 것이 아닙니다. 이것들과 함께 지혜로움도 필요합니다. 여기서 지혜롭다는 것은 쓸모 없이 낭비되던 시간들을 정돈하여 보다 중요한 일에 사용할 줄 아는 것이고, 급한 일과 꼭 해야 할 일들을 조화롭게 처리할 수 있는 것이며, 맡은 일을 잘 처리하기 위해 필요한 지식을 소유한 것입니다.

우리는 좀더 부지런해져야 합니다. 설거지를 하거나 청소를 할 때도 좀더 빨리, 좀더 효율적으로 할 수 있어야 합니다. 주어진 일을 효과적으로 빨리, 잘 해내는 것이 시간을 버는 것이기 때문입니다. 수십 년 동안 해 온 일임에도 불구하고, 그것을 보다 효과적으로 수행하는 방법을 터득하지 못했다는 것은 그가 아무 생각 없이 그 일을 해 왔다는 것을 입증합니다. 가치 있게 여기는 일을 위하여 보다 나은 방법을 연구하는 것은 사람의 특징이자, 인간과 동물을 구분 짓는 중요한 기준이기도 합니다.

게으른 사람은 해야 할 일을 안 할 구실을 찾지만, 부지런한 사람은 해야 될 것을 효과적으로 하는 방법을 연구합니다. 현재 자신의 삶에서 반복되는 일의 대부분은 앞으로도 계속 반복될 일입니다. 따라서 그것을 효율적으로 처리할 수 있는 방법을 터득해 놓으면, 전 인생을 두고 엄청난 시간을 벌 수 있습니다.

언젠가 컴퓨터로 글을 쓰다가 각주의 글씨 크기를 바꾸어야만 하는 일이 있었습니다. 저는 제가 아는 방법으로 하나하나 각주를 찾아 들어가 원하는 크기로 조정하였습니다. 그런데 잠시 저를 만나기 위해 들렀던 청년이 제 모습을 가만히 지켜보더니, 다가와 마우스를 가지고 몇 번 클릭하는 것이었습니다. 그런데 신기하게도 불과 몇 초 만에 백여 개의 각주들이 한꺼번에 다 바뀌어져 있었습니다. 그 때 전 지혜롭지 못하면 아무리 부지런해도 별 반 도움이 되지 않음을 느꼈습니다.

저는 가끔 목회자인 독자들로부터 저의 삶이 이해가 가지 않는다는 이야기를 듣습니다. 설교 준비하랴, 심방하랴, 집회에 나가랴 바쁠텐데 대체 언제 시간이 나서 연구하고, 또 그 많은 책을 쓰느냐는 것입니다(사실 약 8년 동안 20여 권의 책을 썼는데, 다른 사람에게 설교나 강연 테이프를 주고 집필하게 한 것이 아니라 모두 직접 집필하였습니다). 제게 그런 질문을 하시는 분들도 모두 바쁘게 사시는 분들입니다. 따라서 제가 반드시 그 분들보다 훨씬 덜 자고 훨씬 덜 먹으며 산다고 말씀드릴 수 있는 것은 아닙니다. 다만 저는 제가 하지 않아도 되는 일은 다른 사람에게 맡기고, 제가 직접 할 수밖에 없는 일들을 함에 있어서 늘 보다 빠르고 완벽하게 수행하는 방법들을 터득해 가고자 애를 쓰며 삽니다. 그리고 그것이 제한된 시간을 남보다 더 효율적으로 사용할 수 있게 해주었습니다. 그래서 제 기도 제목에는 '주님의 일을 할 때 먼저는 저의 직무가 무엇인지를 정확하게 알게 해주시고, 그것을 효과적으로 수행할 수 있는 지혜를 저에게 주십시오' 라는 절실한 제목이 있습니다.

저는 직장 생활도 해보고, 학교에서 교편도 잡아 보았습니다. 그리고 지금은 목회를 하고 있습니다. 남의 밑에서 일해 보기도 하였고, 다른 사람들을 거느리고 일을 해보기도 하였습니다. 그리고 지금도 목회지에서 여러 지체들과 함께 성도들을 섬기고 있습니다.

제가 사람들과 함께 일해 본 경험에 의하면, 한 사람에게 어떤 일을 맡겼을 때에 그 사람이 자기 몫의 일을 잘 감당하느냐 못하느냐를 결정하는 것은 그가 자신의 직무에 대해 얼마나 정확하게 알고 있는가입니다. 그 일을 잘 감당할 사람은 비교적 빠른 시간내에 자기의 직무가 무엇인지를 정확히 파악하지만 그렇지 않은 사람은 많은 시간이 흘러도 자기에게 부여된 직무를 수행하기 위하여 어떠한 일을 해야 하는지 잘 알지 못합니다. 그래서 자기에게 맡겨진 일에 대하여 의욕이 있는 사람은 그렇지 못한 사람보다 자기의 일이 무엇인지를 더 정확히 압니다.

그러나 그것만 가지고 문제가 해결되는 것은 아닙니다. 자신의 직무를 정확히 인식한 후에는 그것을 효과적으로 수행하는 방법을 익혀야 합니다. 자신의 일을 효과적으로 수행할 줄 알면 그는 같은 일에 종사하면서 그러한 효과적인 방법을 모르는 사람에 비하여 훨씬 많은 일을 해낼 수 있습니다.

그런데 자기의 직무가 무엇인지를 정확히 아는 것보다 어려운 것은 그것을 효과적으로 수행하는 방법을 익히는 것입니다. 만약 그러한 효과적인 방법을 익히지 못한다면 그의 부지런함은 결코 빛나지 못할 것입니다. 그러나 자기의 일이 무엇인지를 정확히 아는 지식 위에 효과적인 업무 수행의 방법을 아는 지혜도 있고, 그 일을 끝까지 해내는 인내와 성실함이 있다면, 그의 부지런함은 탁월하게 빛날 것입니다.

저는 목사의 직무가 무엇인지를 정확히 아는 데는 교회 개척 후 5년밖에 안 걸렸지만, 그 일을 효과적으로 수행하는 방법이 무엇인지는 아직도 잘 모르고 있습니다. 지금도 성경의 진리와 목회의 선배들을 통하여 그것을 배우고 있는 중입니다. 마치 초등학생처럼 말입니다. 그래서 오늘도 하나님께 지혜를 구합니다.

### 인생의 그라운드 위에서

우리에게 인생은 성화라는 목표를 성취하기 위해 땀 흘리며 살아야 하는 하나의 터전입니다. 그것은 구원 이후부터 천국까지의 사이에 놓여 있습니다. 그 터전에서 우리는 하나님의 사랑을 알고, 우리의 위치와 역할을 깨닫습니다. 하나님께서 바라보실 때 우리의 모습은 인생이라는 커다란 운동장 위에서 천국에 닿아 있는 성화라는 한 목표를 향해 가고 있는 한 사람일지도 모릅니다.

물론, 그 운동장을 걸어가고 있는 우리의 모습은 사람마다 각기 다를 것입니다. 뛰어가는 사람도 있을 것이며, 거꾸로 가는 사람도 있을 것입니다. 땀을 뻘뻘 흘리면서 무거운 십자가를 지고 가는 사람이 있는가 하면, 조금

가다가는 주저앉아 가는 시간보다 더 많이 쉬는 사람도 있을 것입니다. 아예 십자가를 내려놓고 자기 맘대로 뛰어다니는 사람도 있을 것이고, 자기 하고 싶은 일 하면서 노는 사람도 있을 것입니다.

여러분은 어떤 모습이길 원하십니까?

우리가 게으른 삶을 포기하지 않는 한, 인생의 그라운드 위에 선 우리의 모습은 하나님 보시기에 답답하고 한심하기 그지없는 모습일 것입니다. 운동장에 서 있는 선수에게 휴식은 없습니다. 경기 종료를 알리는 신호가 울리고 인생이라는 운동장을 떠나게 될 그 순간까지 거기 선 선수의 사명은 승리를 위해 달리는 것입니다.

인생이라는 경기의 종료를 알리는 나팔 소리가 울릴 때, 승리의 환희를 느끼며 감격스럽게 우리 인생의 감독이신 하나님과 포옹하고 싶으십니까? 아니면 패배의 아픔을 간직한 채, 후회와 아쉬움으로 쓸쓸히 운동장을 걸어 나가고 싶으십니까?

그것을 결정하십시오. 지금 인생의 그라운드 위에 서 있는 당신이, 당신의 삶으로…….

## 왕궁에서 있었던 일

역사 속에서 가장 신비로운 인물들 중 한 부류는 아마 제국의 황제들일 것입니다. 그들은 외부와 차단된 커다란 궁궐에서 무소불위(無所不爲)의 권력을 휘두르며 살았습니다.

저는 최근에 중국인 저널리스트가 쓴 중국 황제들의 일상 생활에 관한 책을 흥미롭게 읽었습니다.

중국 역사에는 약 600여 명의 황제가 있었는데, 그들이 정치하는 일 말고 일상 생활에서 몰두했던 일은 딱 두 가지, 바로 식탐(食貪)과 색탐(色貪)이었습니다. 백성들은 하루 두 끼도 제대로 먹지 못하던 시대에 그들은 하루에 네 끼를 먹었습니다. 황제의 한 끼 식사를 위해 동원되는 식자재는 작은 트럭 1.5대 분량이었고, 조리사만도 수백 명이 필요했으며, 기록에 따르면 보다 더 신선하고 진귀한 먹거리를 찾기 위한 조직까지 있었다고 하니, 그 식탁이 얼마나 화려했을지는 가히 짐작할 만합니다.

그러나 그렇게 살다 간 황제의 인생은 과연 행복했을까요? 무소불위의 권력으로 먹고 싶은 대로 먹고 하고 싶은 대로 하며 살 수 있었지만 대부분의 황제는 비참한 종말을 맞이하였습니다. 황제가 바뀔 때마다 황실은 피바다를 이루어야 했고, 정변을 겪지 않은 황제라 하더라도 천수를 누린 경우는 극소수에 불과합니다. 그리고 그 이유는 그들의 과도한 식탐과 방탕한 색탐 때문이었습니다. 기록에 따르면 수 양제를 비롯한 몇몇 중국 황제들은 만 명이 넘는 후궁을 거느렸고, 가장 적은 수의 여자를 거느렸던 예가 4-5백 명의 후궁을 둔 경우라고 하니 그들의 방탕한 삶을 어찌 다 말할 수 있겠습니까?

나라가 서기 위하여 전쟁이 치열할 때에는 건강하고 성실하던 제왕들이, 나라가 태평할 때에 예의 총명을 잃고 부패한 정욕에 빠지게 되는 것은 대부분 게으른 삶이 발전된 결과입니다.

우리아의 아내 밧세바를 간음하고 가혹하리만치 긴 세월을 영혼의 어둠 속에서 신음하던 하나님의 사람 다윗의 경우도 육체의 게으름이 어떻게 인간을 마음의 정욕으로 몰고 가는지를 보여주는 좋은 예입니다.

## 하루를 살기 위한 영혼의 채비

성경의 진리는 마치 보석과 같아서, 어둠 속에서 볼 때에는 한낱 유리 알갱이에 지나지 않는 것 같지만 햇빛에 비춰 보면 찬란한 빛을 발합니다. 영적으로 무지할 때는 진리를 보아도 그저 무미건조한 말씀에 지나지 않지만, 지식의 빛이 비치게 되면 우리는 그저 굴러다니는 구슬처럼 보잘 것 없이 생각했던 말씀 속에서 우리의 마음을 움직이고 영혼과 삶을 변화시키는 놀라운 능력을 보게 됩니다. 게으름에 관한 잠언의 많은 교훈들 역시 마찬가지입니다. 그렇기 때문에 이 진리는 깨달으면 깨달을수록 오색영롱한 빛을 뿜어 내는 보석과 같이 느껴집니다.

첫 장을 통해 우리는 현실적인 눈으로는 전혀 게을러 보이지 않는 분주한 삶이, 영적인 눈으로 볼 때는 일에만 허덕이고 있을 뿐인 게으른 삶일 수도 있음을 알았습니다. 이런 영적 게으름은 영혼에 심각한 질병들을 가져와 급기야 어디서부터 손대야 할지 모르는 만신창이의 상태로 만들곤 합니다. 따라서 우리는 늘 자신의 영적인 상태에 경각심을 가져야 합니다. 표면적인 삶이 게으를 때는 그 게으른 삶의 모습 때문에, 표면적인 삶이 분주할 때는 그 분주한 삶으로 인해 게으를 수 있는 영적 생활 때문에 주의를 기울여야 합니다.

사람은 누구나 아침에 일어나면 자신을 단장하는 데 시간을 씁니다. 하루의 생활을 위해 자신을 단장하는 데 할애하는 시간은 사람마다 차이가 있지만, 단장하지 않은 채 잠자리에서 일어난 부스스한 모습 그대로 하루를 시작하는 사람은 거의 없습니다. 외모에 거의 신경 쓰지 않는 남성이라 할지라도 최소한의 시간을 들여서 기본적으로 자기를 꾸미는데 여성들은 말할 나위가 없습니다.

일반적으로, 여성들이 아침에 씻고, 옷을 갈아입고, 화장하는 데 걸리는 시간은 1시간 정도라고 봅니다. 이것은 1년이면 365시간이고, 하루 8시간

근무에 적용한다면 45일 이상 해야 하는 작업량입니다. 그러나 어떤 여성도 이것을 과도한 노역이라고 생각하지 않습니다. 하루를 살기 위해, 그 하루 동안 만날 사람들에게 단정한 모습을 보여주기 위해 자기를 단장하는 시간을 갖는 것에 대해서 모두가 당연한 일로 인식하고 있기 때문입니다.

그러면 한 사람의 그리스도인이 하나님 앞에서 하루를 단정하게 맞이하고 하루를 승리하며 살기 위해서 자신의 영혼을 단장하는 데에는 어느 정도의 시간이 필요할까요? 이 문제 역시 사람마다 대답이 다를 것입니다. 그러나 한 가지 분명한 것은 상당히 많은 시간이 요구된다는 것입니다. 영적으로 뛰어난 사람들은 적은 시간으로 많은 충전을 받을 수 있지만, 영적으로 뛰어난 대신 욕구도 많기에 만족할 만큼 스스로를 준비하기 위해서는 많은 시간이 필요할 것입니다. 또한, 영적으로 어리고 부족한 사람들은 그들대로 그 부족함을 채워야 하므로 많은 시간이 필요할 것입니다.

## 짐승과 방불한 삶

그런데 문제는 시간이 얼마나 필요한가 하는 것이 아닙니다. 시간과 노력을 투자하여 영혼의 재충전을 위해서 헌신해야 함에도 불구하고, 많은 그리스도인들이 영혼을 단장하고 하루 살 채비를 하는 일을 소홀히 하고 있다는 사실이 문제입니다.

그럴 수밖에 없는 것이, 이들은 일의 노예가 되어서 아침부터 밤까지 허덕거리며 인생의 보람이나 목표 같은 것들에 대해서는 생각조차 해보지 않고 살아갑니다. 그래서 그리스도를 깊이 생각하며 위로와 격려를 얻는다든지, 자기의 영혼을 돌아본다든지 하는 일은 전혀 하지 않습니다. 시간 되면 일어나서 세수하고 밥 먹고 일터로 달려가고, 다시 시간 되면 돌아와서 세수하고 밥 먹고 잠옷 바람으로 누워 텔레비전이나 보다가 잠들고 마는 것입니다. 이런 삶은 거의 동물 수준의 삶입니다. 구원받은 신자가 이렇게 살다가 죽는 것은 아주 커다란 죄악입니다. 이것은 받은 구원을 쓰레기통에 집어 던지는 것과 방불한 삶입니다.

그런데 어쩌면 여러분에게 이런 변명이 떠오를지도 모릅니다. '영혼을 돌아보며 사는 일이 싫어서 그렇게 안 사는 게 아니다. 너무 바쁘고 힘이 들어 그렇게 못 살고 있을 뿐이다.' 즉, 자신의 영혼에 어떤 도전을 주고, 그 영혼으로 하여금 하루를 감당할 수 있도록 힘을 충전시켜 주는 은혜 생활을 위해서 헌신할 만한 육체와 마음의 여력이 자신에게 없다고 생각하는 것입니다.

그런데 이러한 생각은 두 가지 측면에서 매우 잘못된 생각입니다. 첫째로 이것은 더 이상 하나님을 향해 나아갈 의지가 없다는 불순종의 표현이기 때문입니다. 둘째로 이것은 사실상 하나님 없이 사는 삶의 선택이기 때문입니다. 이런 변명이 그럴싸하게 들린다면 정직하게 스스로를 돌아보십시오. 영혼을 위해 하나님 앞에 재충전을 받으면서 살아가고자 하는 영적인 욕구를 충족시켜 줄 여력이 없는 것은, 자신이 육체의 욕구를 채우는 일에 여념이 없기 때문은 아닙니까?

지금까지의 생을 곰곰이 반추하다 보면 우리는 뜻밖의 결론을 얻게 됩니다. 그것은 기도 생활 열심히 하며, 끊임없는 영적 도전 속에서 자기가 깨뜨려지던 때는 결코 할 일 없이 한가하던 때가 아니라는 사실입니다.

할 일이 너무 많기 때문에 자신의 영혼을 제대로 돌볼 수 없다는 것은 핑계에 지나지 않습니다.

충만한 은혜를 누리며 살던 때는 비교적 할 일이 없고 한가하던 때가 아니라, 자신의 한계를 넘어서는 요구들로 인해 하나님께 간절히 매달릴 수밖에 없던 분주한 때였습니다. 한가해서 충분한 시간을 기도하는 데 쓸 수 있었을 때보다도, 오히려 바쁜 상황의 틈바구니에서 어떻게든 기도 시간을 마련하고자 안달하다가 겨우 소중한 시간을 내어 단 30분이라도 기도했을 때, 마음은 쏟아 부어졌고 그래서 더 놀라운 영적 부요함을 누리지 않으셨습니까?

## 은혜의 한탕주의

신자가 은혜를 끊임없이 누리며 살기 위해서는 부지런한 자기 희생과 성실한 실천이 뒤따르지 않으면 안 됩니다. 로또 복권이 출시되고 나서 얼마 동안은 온 나라가 로또 열풍으로 들썩였습니다. 로또에 1등으로 당첨될 확률은 800만분의 1로, 1년 동안에 벼락을 2번 맞거나 교통사고를 5번 당하는 확률입니다. 그런데 사람들은 그 일어나기 힘든 일이 자기에게 일어날 것이란 환상을 갖습니다. 어리석기 그지없는 일이지만, 사실 많은 사람들이 이 어리석은 꿈을 꿉니다. 이것이 허황된 꿈임을 몰라서가 아닙니다. 성실하게 노력하며 사는 것에 지쳐 있기 때문입니다. 사람들은 꾸준히 노력하며 한발 한발 나아가는 것을 피곤해 합니다. 한방에 모든 것이 해결되기를 원하는 것입니다.

이것은 은혜의 세계에서도 마찬가지입니다. 자기의 죄를 죽이며, 자기를 부인하며 사는 일은 매일매일 거듭되어야 할 일입니다. 그러나 많은 그리스도인들이 그렇게 하루하루 애쓰며 사는 것은 싫어하고, 어느 날 갑자기 커다란 은혜가 부어져 한방에 모든 문제들이 해결되기를 원합니다. 영적인 세계에 있어서도 로또 복권 당첨 같은 영혼의 변화를 마음에 소원하는 것입니다.

그런데 이렇게 한방에 모든 것이 해결되기를 원하는 마음 이면에는 게으름이 있습니다. 매일 꾸준히 식사 조절하고 운동하는 것은 싫어하면서, 가만히 누워만 있으면 단번에 저절로 살이 빠지는 기계를 꿈꾸는 마음 이면에는 체중 조절을 위해 노력하기 싫어하는 게으름이 있는 것처럼 말입니다. 대박을 꿈꾸는 사람들의 공통점은 희생과 고통 없이 단번에 원하는 것을 손에 넣고자 하는 악한 게으름을 지녔다는 점입니다.

가끔 신문 광고에서 생의 절망에 빠진 사람, 사업에 망한 사람, 병 걸린 사람들의 인생을 바꾸어 드린다는 신앙 집회 문구를 보게 됩니다. 그런 집회는 참석자의 상당수가 단번에 무슨 일이 일어나길 기대하며 모인 사람들입니다. 물론, 알고 보면 표어만 그렇게 선동적으로 내걸었을 뿐 건전한 집회도 많이 있습니다. 그러나 안타깝게도 아직도 많은 그리스도인들이, 감사 헌금 봉투 하나 들고 '주여 믿사오니' 하며 나아가 지성의 스위치를 끄고 미친 듯이 기도에 매달리면, 어느 한 순간에 불을 받아서 자신의 모든 인생의 문제를 해결받고 큰 복을 받게 될 것이라는 생각을 하고 있습니다. 이런 생각의 뿌리에는 영적 게으름이 있습니다. 날마다 거룩한 삶을 위한 자기 헌신이 싫고, 하나님 마음에 합한 사람이 되고자 분투하는 삶이 싫은 게으름이 이런 한탕주의적인 은혜를 꿈꾸게 하기도 하는 것입니다.

### 게으름의 발전 - 1단계: 최선을 다하지 않음

그러면 도대체 게으름이란 무엇일까요? 게으름에 대한 보다 명확한 이해를 위해서는 게으름이 어떻게 발전하는지 알아야 합니다.

앞장에서 이미 게으름의 기초는 자기 사랑임을 밝혔지만, 이것은 게으름의 시작일 뿐입니다. 더구나 이러한 시작 단계의 게으름은 그것을 나타낼 환경이 조성되지 않는 한 잘 드러나지 않습니다.

게으름이 게으름으로 드러나기 위해서는 언제나 의무가 필요합니다. 의무가 없는 곳에서는 그 사람의 게으름을 말하기가 어렵습니다. 기준이 없기 때문입니다. 아무리 자기 사랑으로 충만한 사람이라 할지라도, 해야 할 일이 없어 가만히 있는 상태에서는 그를 게으르다고 탓할 수 없는 것입니다.

그런데 의무가 확인되어 게으름이 게으름으로 드러나게 되었다고 하더라도, 시작 단계에서 나타나는 그 게으름은 사악하다고 보기가 매우 어렵습니다. 게으름의 처음 출발은 자기 사랑이 몸과 마음에 배어서 어떤 의무에 최선을 다하지 않게 하는 것이기 때문입니다. 그리고 사람들은 의무를 이행함에 있어 최선을 다하고 있지 않는 것을 심각한 악이라고 생각하지 않기 때문입니다.

시작 단계의 게으름은 늘 이러한 형태로 출발합니다. 아예 의무를 행하지 않겠다는 것이 아니라, 마땅히 해야 할 일에 최선을 다하지 않거나 귀찮은 부분을 소홀히 하고 넘어가는 것입니다.

그러면 왜 최선을 다하지 않는 것일까요? 답은 간단합니다. 최선을 다하면 힘이 들기 때문입니다.

그러나 우리는 아무리 힘이 들어도 최선을 다해서 살아야만 하는 존재입니다. 우리를 구속하여 주신 하나님께서 우리가 그렇게 살기를 원하시고, 그렇게 사는 것이 우리 영혼이 사는 길이며, 그것이 우리가 받은 사랑을 갚으며 하나님의 나라를 위해 사는 길입니다. 그러나 그 많은 이유에도 불구하고 게으른 사람들은 그렇게 살기를 꺼립니다. 그렇게 사는 것이 싫고 힘들기 때문입니다.

그들은 삶으로 이렇게 말하고 있는 것입니다.

질문 : "왜 의무를 행하지 않으십니까?"

대답 : "내가 싫으니까."

질문 : "왜 최선을 다하지 않으십니까?"

대답 : "내가 힘드니까."

그리고 이것은 그가 하나님이 아니라 자신을 온 우주와 사고의 중심으로 여기고 있는 사람임을 보여줍니다. 따라서 게으른 사람은 절대로 하나님의 마음에 합한 자일 수 없습니다.

## 게으름의 발전 - 2단계: 의무를 저버림

그런데 게으름은 여기에서 그치지 않고 그 다음 단계로 넘어가는데, 그것은 바로 의무를 완전히 저버리는 것입니다. 게으름이 계속 발전하는 것은 게으름의 원인인 자기 사랑이 계속 더 많은 것을 요구하기 때문입니다. 사실, 이 자기 사랑의 뿌리에는 인간의 자기 중심적인 죄성이 있습니다. 이것은 실질적으로 자기가 하나님의 자리에 올라가 주인 노릇하고 싶어하는 성품으로, 궁극적으로는 자신이 하나님처럼 되고 싶어하는 마음입니다.

오늘날, 대부분의 사람들이 게으름의 문제를 대수롭지 않게 생각합니다. 그러나 그 게으름의 뿌리가 무엇인지 주의 깊게 살핀다면 그것이 얼마나 더러운 것인지 알고 소스라치게 놀라게 될 것입니다. 그리고 얼마나 많은 사람들이 무지 속에서 이 게으름과 동침하며 침륜에 빠지고 있는지 알게 될 것입니다.

역사를 통해 볼 때, 칼을 든 자객을 왕에게 보내는 것만이 왕을 살해할 수 있는 방법은 아니었습니다. 왕의 음식에 조금씩 독을 넣어 서서히 죽이는 것도 왕을 죽일 수 있는 좋은 방법이었습니다. 실제 기록에 의하면, 후자의 사례 역시 매우 빈번하게 일어났습니다.

여기서 큰 칼을 들고 덤벼드는 적이 살인, 간음, 거짓말, 배교 같은 것이라면, 서서히 우리를 고사(枯死)시키는 독은 바로 게으름일 것입니다. 그러므로 우리는 이 게으름에 대해 잠시도 주의를 돌려서는 안 됩니다.

그런데 이 게으름의 출발 단계가 의무에 최선을 다하지 않는 것이라면, 그 다음 단계는 아예 그 의무를 그만두는 것입니다. 내용이 없으면, 형식도 지탱하기 어렵기 때문입니다. 다행히 형식이 완전히 사라지지는 않는다 해도, 최선을 다하지 않는 태도가 만연되어 있는 이상 형식에 심각한 변형이 초래되는 것을 막을 수는 없습니다.

게으름은 이렇게 의무에 최선을 다하지 않게 만든 다음 급기야 그 의무까지 저버리게 합니다. 그리고 이것은 매우 자연스러운 일입니다. 최선을 다하지 않는 것도 아무것도 안 하는 것보다는 힘들기 때문입니다. 최선을 다하는 것이 힘들어 최선을 다하지 않는 것을 선택한 사람이라면 이내 아예 아무것도 안 하는 것을 택하고 맙니다. 그게 더 쉽기 때문입니다. 그러나 게으름은 거기서 멈추지 않습니다.

### 게으름의 발전 - 3단계:정욕

게으름은 영육간에 편안한 삶을 이룬 것에서 만족하지 않습니다. 편안한 삶은 게으름의 소극적인 목표일 뿐입니다. 이 소극적인 목표가 만족되고 나면 나타나는 적극적인 목표가 있는데, 그것은 바로 쾌락입니다. 이처럼 게으름의 끝에는 길이 없습니다. 파멸의 벼랑밖에는…….

신자로서 해야 할 선하고 마땅한 의무에 최선을 다하지 않고 급기야 그 의무를 저버림으로써 편안함은 획득되었으나, 그 과정에서 하나님과의 관계는 파괴되었습니다. 그리고 하나님과의 화목한 관계에서 오는 사랑의 연합이 주는 신령한 기쁨도 사라졌습니다. 이 때 육체는 게으름으로 얻을 수 있는 편안함보다 더 자극적인 즐거움을 요구하기 시작합니다. 그리고 그 요구의 대부분은 죄를 짓지 않고는 성취될 수 없는 것들입니다.

사람 속에서 솟아나는 욕구는 매우 다양한데, 그 욕구들보다 더 다양한 것이 그 욕구를 대하는 인간의 방식입니다. 모든 인간은 기본적으로 타락한 욕구를 가지고 태어납니다.

그러나 그 타락한 육신의 욕구가 숙명적으로 인간을 지배하는 것은 아닙니다. 인간의 내면에 은혜의 질서들이 심겨지면, 타락한 본성의 욕구보다 더 강력한 신령한 영혼의 욕구가 그 사람 속에서 솟아나 본능적인 욕구들을 적절히 통제할 수 있게 해줍니다.

청교도 존 오웬(John Owen)은 이렇게 말했습니다. "한 사람이 어떤 사람인지 알아보려면 그 사람의 행동보다는 그 사람의 마음속에서 솟아나는 욕구를 살펴라. 그 사람의 욕구가 그 사람이 어떤 사람인지를 말해 준다."

그런데 불행히도 게으름은 신자의 내면에 형성된 이 은혜의 질서들을 파괴합니다. 그래서 인간으로 하여금 의무를 저버린 정도로는 만족치 않고 욕구를 쫓아 죄를 지으며 살도록 만듭니다. 게으름의 궁극적인 목표는 신자를 정욕에 사로잡히게 하는 것입니다. 육신의 정욕을 따라 살게 하는 것입니다. 이처럼 게으름은 보다 원대한 목표를 가지고 우리에게 다가옵니다.

발전된 게으름은 정욕들을 계속 솟아나게 하여, 신자로 하여금 의무를 수행하지 않음으로 편안함을 누리는 것에 만족하지 않고, 악을 행해서라도 자기 자신을 즐겁게 하고자 하도록 만듭니다.

전에는 성경 말씀이 자기에게 무엇을 하라고 요구만 하지 않으면 편할 것이라고 생각했는데, 이제는 한걸음 더 진전하여 자기를 즐겁게 해줄 수 있는 것들을 죄를 지어서라도 추구하게 되는 것입니다. 더구나 이 후자의 욕구는 전자의 욕구보다 훨씬 강합니다. 죄를 지은 대가를 치르며 느끼는 괴로움보다는, 불타오르는 정욕에도 불구하고 그 죄에 접근하지 못할 때에 느끼는 안타까움이 더 힘든 고통이기 때문입니다.

생각해 보십시오. 며칠 굶은 사자 앞에 시뻘건 살코기를 두고 쇠창살로 막아 놓았다면 그 사자가 어떻겠습니까? 미친 듯이 침을 흘리며 울부짖을 것입니다. 그 사자에게는 사냥감을 얻기 위해서 며칠간 뛰어다니는 것보다 눈앞에 먹이를 두고서도 자기의 욕구를 채우지 못하고 견뎌야 하는 것이 훨씬 더 힘든 일일 것입니다.

## 게으름의 발전을 조장하는 비교 의식

그런데 이 게으름의 단계적 발전의 과정에서 쉽게 발견되는 것이 비교의식입니다. 게으름이 더 높은 단계로 발전하기 위해서 가장 잘 사용하는 방법은 바로 '그거 꼭 해야 되냐? 그렇게 하는 게 무슨 의미가 있냐?', '걱정마. 대부분의 사람이 그렇게 안 살아', '너는 신앙에 있어 이제 겨우 햇병아리일 뿐이니까 그렇게까지 하며 살지 않아도 돼' 등의 말로 스스로를 설득하는 것입니다. 마음의 게으름이 이런 지성의 동의를 받으면 게으름과 싸우고자 하는 의지를 굴복시키는 것은 시간 문제입니다.

저는 목사입니다. 그러나 저는 목사라는 의식 속에서 살 때보다는 신자라는 의식 속에서 살 때가 훨씬 많습니다. 그리고 저는 제가 마땅히 그래야만 한다고 생각합니다. 목사의 본분을 망각하려는 것이 아니라, 신자의 본분에 대한 인식 없이는 결코 성직에 대한 인식도 있을 수 없다고 믿기 때문입니다.

가끔 성도들에게서 신앙의 수준을 이분법적으로 나누려는 시도를 볼 때가 있는데 이것은 가톨릭 문화의 유산입니다. 가톨릭에서는 교회에는 가르치는 계급과 배우는 계급이 있는데 이 둘은 하나님의 특별한 은총으로 나뉘어 있다고 생각했습니다. 그래서 가르치는 교인은 열심히 가르치고, 듣는 교인은 열심히 들으면 된다고 여겼던 것입니다.

그러나 신약 성경은 우리를 그렇게 나누지 않습니다. 우리 모두는 하나님 앞에서 동일한 신분이며, 한 머리에 붙어 있는 지체들입니다. 우리는 누구나 하나님의 자녀이자, 하나님 앞에서 온전하게 되고자 애써야 하는 사람인 것입니다.

자신이 이처럼 그리스도 안에서 한 지체라는 것은 생각하지 않은 채, 자기의 기준으로 신앙의 수준을 분류하여 자신은 아직 신앙적으로 어리다는 이유로 의무를 저버리는 일에 면죄부를 주는 사람들이 있습니다. 또한 다른 사람을 기준으로 자신의 영적 상태를 좋게 평가하려 하는 사람들도 종종 만납니다. 이런 태도들은 옳지 않습니다.

은혜는 하나님의 사랑으로 충만해지게 하고, 우리를 거룩하게 합니다. 하나님의 사랑은 하나님과 자신과의 절대적인 관계만 생각하게 하기에, 하나님의 사랑에 진심으로 감사하는 사람은 받은 은혜를 다른 사람과 비교하여 교만해지거나 안일해지지 않습니다. 그의 절대적인 판단 기준은 하나님의 판단이지 다른 무엇이 아니기 때문입니다.

그래서 고린도전서 13장에서도 사랑을 시기하지 않는 것이라고 했습니다. 이것은 하나님의 사랑은 우리로 하여금 절대적인 만족을 누리게 하는 것이기 때문에 기쁨의 대상이지 시기의 대상일 수 없다는 말씀입니다(고전 13:4).

똑같은 원리가 신자의 비교 의식에도 적용됩니다. 신앙이 충만할 때는 다른 사람의 태도는 상관없습니다. 궁금한 것은 오직 이것입니다. '성경이 나에게 어떤 신자가 되라고 말하는가?', '하나님께서는 내가 어떻게 살기를 원하시는가?'

오직 하나님의 생각과 기준이 나침반이 되어서 나의 양심과 신앙을 움직이는 것입니다.

### 게으름의 싹을 자르라

신자가 게으름 때문에 정욕에 완전히 사로잡힌 존재로 전락하면, 우리는 더 이상 그를 은혜의 통치 아래 사는 사람으로 볼 수 없습니다. 그는 죄의 지배 아래서 죄의 종이 되어, 구원받지 않은 사람과 방불한 삶을 사는 사람이 된 것입니다. 게으름이 우리를 데려가고 싶어하는 종착지는 바로 여기이며, 이것을 향해 게으름은 끊임없이 발전하는 것입니다.

따라서 이런 비참한 삶으로 나아가지 않기 위해서는 미연에 게으름을 퇴치하여야 합니다. 애초부터 게으름이 우리에게 파고들지 못하도록 하루하루 자기의 의무를 충실히 행하며, 하나님의 말씀대로 살고자 애써야 합니다. 이러한 자기 부인의 삶이야말로 게으름이 정욕으로까지 발전하여 자기 자신을 파멸로 몰고 가는 것을 막을 수 있는 가장 좋은 처치법입니다.

물론 '언제까지 이렇게 살아야 하나?', '미래가 있나?' 등의 생각이 우리의 마음을 한없이 무겁고 답답하게 만들 수도 있습니다. 그러나 고달프지만 하루하루 성실히 살아가는 것이야말로 참된 행복으로 나아가는 비결입니다. 하나님께서는 우리가 행한 일의 결과에 대해서가 아니라, 그 일에 충성하고 분투하는 과정에 대해서 보상하시기 때문입니다.

따라서 신앙적인 의무에 대한, 부지런히 삶을 사는 것에 대한 회의가 여러분들로 하여금 의무에 최선을 다하지 못하게 하고 있다면 깊이 회개해야 합니다. 지금은 단지 회의일 뿐이지만, 내버려 두면 그것은 그 의무를 저버리게 만들 것이며, 그 의무로부터 자유로워지고 나면 온갖 더러운 정욕들이 벌떼처럼 엄습해 자신의 욕구를 채워 달라고 요구할 것이기 때문입니다.

게으름과 타협하는 것은 제비가 독사의 알을 자기 둥지에서 품는 것과 같습니다. 내일부터, 다음 주일부터, 내년부터라고 자꾸 미루지 마십시오. 상황이 좋아지면, 좀더 준비가 되면 할 것이라고 핑계 대는 것은 '조금만 더 있다가'라는 상투적인 수법에 넘어가 스스로 더 큰 어려움 속으로 뛰어드는 것입니다.

이렇게 살아서는 안 됩니다. 천사의 말을 하고 심오한 진리를 터득한다 할지라도 이렇게 살아서는 아무 소용이 없습니다. 하나님의 아름다운 사랑에 아무리 많은 눈물을 흘리며 반응해도, 주신 은혜의 계획을 따라 자기를 쏟아 붓는 부지런한 삶의 실천이 없이는 아무것도 달라지지 않습니다. 실천하는 삶이 없이는 결코 승리하는 삶을 살 수 없습니다.

실천이 없으므로, 게으른 사람들에게는 자유함이나 당당함도 없습니다. 직장에서도 아침 일찍 출근하여 열심히 일하는 사람은 어떤 상황에서든지 당당하지만, 게으름 피우기 일쑤인 사람은 다른 사람 눈치 보기 바쁩니다. 하나님께서 우리에게 기대하시는 삶은, 자기 몫을 성실히 감당하며 희생하고 헌신하여 누구 앞에서나 우리가 당신의 자녀임을 자랑스럽게 드러낼 수 있는 삶입니다. 그런 삶을 여러분에게서 보고자 하시는 것입니다.

## 예수님의 모본

땀 흘리는 부지런함, 게으름의 욕구를 꺾는 삶, 의무를 실천하고자 하는 진지한 몸부림이 있을 때, '하나님, 도와주세요' 하는 기도에 눈물과 진액이 밸 수 있습니다. 그런데 안타깝게도 우리는 그렇게 산 적이 별로 없습니다. 예수님께서 겟세마네 동산에서 기도하실 때를 생각해 보십시오. 예수님께서 땀이 핏방울이 되어 뚝뚝 떨어지도록 자기를 다 소진하며 기도하시자, 하나님께서는 천사를 보내셔서 예수님의 기도를 도와주셨습니다(눅 22:43).

우리도 마찬가지입니다. 안일하게 살 동안에는 하나님의 도우심을 기대하기 어렵습니다. 그런데 게으름은 우리를 안일하고 이기적인 삶으로 이끌고 가, 하나님의 도우심을 입지 못하게 함으로 영적 싸움에서 패배하게 만듭니다. 그러므로 이 게으름은 우리의 삶에서 싹부터 잘라내야 합니다. 그리고 항상 이 게으름과 야합하려는 자기 자신을 엄중하게 경계해야 합니다.

게으름과 타협하고 싶어지면 우리 주님을 생각하십시오. 주님의 짧은 생애의 발자취 속에서 게으름을 발견할 수 있습니까? 의무에 태만하시거나, 그 의무를 완전히 저버리시거나, 정욕에 사로잡히신 우리 주님의 모습을 읽을 수 있습니까?

하나님께서 당신의 아들에게 성령을 한량없이 부어 주시고, 말씀 한마디로 귀신을 내어 쫓고 죽은 자를 살리는 놀라운 권능을 주셨습니다. 그러나 예수님께서는 한번도 하나님 아버지 대신 그 권능을 의지하여 우리를 섬긴 적이 없으십니다. 그 분은 매 순간 자기를 보내신 하나님을 의지하셨습니다. 예수님은 죄는 없으신 분이었지만, 우리가 가지고 있는 육신의 모든 연약함을 다 가지신 분이었습니다. 따라서 그 분에게도 여기저기 다니면서 복음을 전하는 것보다는 가만히 누워 쉬는 것이 훨씬 편했을 것입니다. 핍박과 모욕을 받으면서 복음을 전파하는 것보다는 수많은 사람들로부터 환대와 칭송을 받으며 안전한 환경에 거하는 것이 더 쉽고 좋아 보였을 것입니다. 그러나 예수님께서는 그런 것들을 단호히 거절하셨습니다. 왜냐하면 하나님께서 당신에게 주신 사명이 있는 한, 당신에게는 해야 할 의무가 있었기 때문입니다. 그래서 그 분은 전도하시고, 병자를 고치시고, 기도하시며, 최선을 다해서 일생을 사셨습니다. 몸 바치시고 피 흘리시기까지…….

눈을 들어서 이 세상을 보십시오. 너무나 많은 사람들에게 복음이 가려져 있고, 복음을 아는 사람들일지라도 그 진리에 순종하며 살려 하지 않습니다. 그럼 과연 우리들이 어떻게 해야 배교적인 신앙이 만연해 있는 이 때에 진리의 빛을 받은 자답게 살 수 있을까요?

예수님께서는 단 한번도 당신을 따르는 제자의 길을 쉽다고 말씀하지 않으셨습니다. 오히려 예수님께서는 그 길이 쉬운 길이 아님을 몸소 보여주셨습니다. 그래서 신앙의 선배들은 항상 '믿음의 길' 을 죽을 각오로 걸어가야 하는 길이라고 생각했습니다. 그래서 지사충성(至死忠誠)을 말했고 일사각오(一死覺悟)의 신앙을 전파했던 것입니다.

## 우리의 계산을 뛰어넘는 하나님의 도우심

어느 날, 한 형제가 저를 찾아왔습니다. 그는 정말 고달프게 직장 생활을 하는 형제였습니다. 그와 잠시 이야기를 나누고 저는 그에게 기도 생활을 하라고 권면했습니다. 그러자 그 형제는 정말 암담한 표정으로 "목사님, 여기에서 제가 새벽에까지 일찍 일어나면 저는 쓰러지고 맙니다"라고 대답했습니다. 이미 그가 새벽 기도하지 않기로 뜻을 세운 것 같아서, 저는 더 이상 말하지 않고 그를 보냈습니다. 그런데 얼마 후, 그 형제가 다시 찾아왔습니다. 지난번 저와 이야기를 나눈 후, '제발 기도 좀 하라' 는 제 말이 계속 마음에 맴돌아 결국 새벽 기도에 나가기 시작했다는 것이었습니다. 그는 저에게 이렇게 말했습니다. "목사님, 제가 인정하지 않을 수 없는 것이 하나 있습니다. 저는 새벽에 일찍 일어나면 힘들 것이라는 것만 알았지 그 힘든 것을 극복하고 하나님 앞에 나오면 그 분이 새 힘을 주실 것이라는 것은 계산에 넣지 않았었습니다."

이처럼 하나님께서는 우리의 산술적인 계산을 깨뜨리며 역사하십니다. 그리고 우리는 그 하나님을 믿기에 인간의 계산으로는 도저히 해답이 나오지 않는 일에 뛰어듭니다.

사랑하는 여러분! 부디, 게으름을 버리고 성실함과 부지런함으로 살아가십시오. 여러분이 그러한 삶을 결단한다면, 하나님께서는 반드시 도우실 것입니다. 부지런한 삶을 위해서 지불해야 할 고통과 인내가 아무리 쓴 것처럼 보여도, 게으르게 살다가 정욕에 삼킨 바 된 상태가 되어서 지불해야 할 영혼의 고통에 비하면 아무것도 아닙니다.

게으름을 이기는 가장 쉬운 방법은 바로 지금 자리를 털고 일어나 부지런한 삶을 실천하는 것입니다. 게으름의 정체와 계획을 알게 된 지금보다 더 게으름을 이기기 쉬운 때는 없습니다. 미루면 미룰수록 게으름과의 싸움은 어려워질 것입니다. 왜냐하면 게으름은 멈춰 있지 않고, 끊임없이 발전하는 대적이기 때문입니다.

게으름의 끝에는 길이 없습니다. 오직 정욕으로 말미암는 파멸이라는 벼랑밖에는…….

거. 룩. 한. 삶. 의. 은. 밀. 한. 대. 적. 게. 으. 름

# 4

## 한 글자 때문에 해고된 사람 : 게으름의 선택/부주의

"내가 증왕에 게으른 자의 밭과
지혜 없는 자의 포도원을 지나며 본즉
가시덤불이 퍼졌으며 거친 풀이 지면에 덮였고
돌담이 무너졌기로"(잠 24:30–31)

## 한 글자 때문에 해고된 사람

어느 회사에서 있었던 일입니다. 경리 담당 부서에서 커다란 공사를 발주하기 위한 서류를 바쁘게 준비하고 있었습니다. 공사 입찰을 알리는 공고문이 신문 광고로 나갔고, 여러 응찰자들이 공사를 따내기 위하여 평소처럼 입찰 전일까지 공사 보증금을 예치했습니다. 공사 금액의 10분의 1의 금액을 보증금으로 예치한 사람들 중에서 가장 저렴한 금액으로 응찰하는 업자에게 공사를 주기로 되어 있었던 것입니다.

엄격한 심사가 시작되었고 공사 입찰이 진행되고 있는데, 갑자기 큰 소동이 벌어졌습니다. 그 전날까지 예치해야 할 공사 보증금을 당일에 들고 온 업자들이 응찰하게 해 달라고 항의하였기 때문입니다.

담당 직원의 실수로 "이 공사에 응찰할 업체는 공사 금액의 10분의 1을 입찰 전일까지 예치할 것"이라는 공고문이 "……입찰일까지 예치할 것" 이라고 잘못 타이핑되어 나갔기 때문입니다. 결국 책임자는 징계를 받고, 담당 직원은 '전' 이라는 한 글자 때문에 잘 다니던 좋은 직장에서 해고되어야 했습니다.

바쁜 신문 광고 마감 시간에 쫓겨, 저녁 끼니도 거른 채 열심히 일하다가 일어난 실수를 게으름이라고 해석하는 사람은 많지 않을 것입니다. 그러나 이러한 부주의는 매사를 꼼꼼히 살피며 성실하게 처리하는 데 소모되는 육체와 마음의 노고를 아끼려는 게으름에서 비롯된 것입니다. 성경이 부주의함을 게으름의 선택이라고 보는 것도 바로 이러한 이유 때문입니다.

## 시간을 아끼는 지혜

하나님을 경외하며 사는 사람들이라 하더라도, 귀한 인생을 낭비 없이 하나님 앞에서 유능하게 살기 위해서는 삶의 지혜에 대한 특별한 관심과 이에 대한 가르침이 필요합니다. 즉 하나님을 사랑하는 사람으로 영적으로 변화되는 것도 굉장히 힘든 일이지만, 그것만으로는 충분하지 않습니다. 하나님을 향한 뜨거운 사랑을 마음에 품은 사람은 이제 효과적으로 그 분께 충성하면서 사는 방법들을 터득해야 하는데 이것은 지혜가 필요한 영역입니다.

사실 우리에게는 영혼의 변화를 받고 성향이 바뀌면 그것으로 만족해 하는 경향이 있습니다. 하지만 하나님께서는 그것만으로는 만족하지 않으십니다. 마음뿐 아니라, 그 마음이 사령부인 그의 삶 전체를 하나님을 향한 사랑의 고백으로 삼기를 원하시기 때문입니다.

그러므로 신자가 소유하게 된 하나님을 향한 사랑의 정서 뒤에는 반드시 '어떻게 해야 이 짧은 인생 동안 하나님을 향한 사랑을 더 많이 삶으로 입증하며 살 수 있을까?' 하는 고민이 따라붙어야 합니다.

성경 속에서 복음의 진리들을 발견할 때면 말할 수 없는 기쁨을 느끼지만, 한편으로는 견딜 수 없는 후회로 가슴을 치기도 합니다. 몇 년 동안을 어떤 문제로 인해 영적인 성장을 거의 누리지 못하고 마치 기름칠해 놓은 바위 언덕을 오르는 것처럼 올라가다가는 미끄러져 굴러 떨어지고 올라가다가는 다시 미끄러지는 생활을 반복했는데, 아주 간단한 복음 진리가 나를 그 문제에서 벗어나게 해줄 때에 그런 생각이 절실합니다. 이럴 때면 누가 나에게 이런 진리를 가르쳐 주었더라면, 인생을 그렇게 허비하지 않았을텐데 하는 아쉬움이 가슴 아프게 밀려옵니다.

실제로 저는 미국에 집회를 갔다가, 예전에 함께 공부하던 목사님으로부터 비슷한 이야기를 들었습니다. 그는 제가 쓴 『자네 정말 그 길을 가려나』(두란노)를 20년 전에 읽었더라면, 목회 인생에서 10년은 아낄 수 있었을 것이라고 말했습니다.

우리는 누가 100만 원만 달라고 하면 안색이 변하여 돌아서면서도, 시간 좀 내 달라고 하는 사람에게는 매우 관대합니다. 그러나 이것은 매우 큰 실수입니다. 돈은 다시 벌면 되지만, 시간은 한번 쓰면 다시 벌 수 없기 때문입니다.

시간은 하나님을 열심히 섬기는 사람에게도, 게으르게 사는 사람에게도 똑같은 길이로 지나갑니다. 그래서 하나님의 영광에 대한 열망을 가졌던 사람들은 모두 시간의 소중함을 분명히 인식하고 있던 사람이었습니다. 왜냐하면 시간이야말로 하나님의 영광을 향한 타오르는 열망을 펼칠 수 있는 장(場)이기 때문이었습니다.

그런데 지금 우리가 살펴보고 있는 게으름에 관한 이 잠언의 지혜들은 우리의 인생을 아껴 주기에 충분한 진리들입니다. 따라서 이것을 숙지하고 차근차근 정리하는 것은 우리의 영적 삶에 말할 수 없는 유익이 될 것입니다.

## 황폐한 풍경

그럼, 우선 본문의 말씀을 살펴보겠습니다. 본문에 나오는 '증왕에' 라는 말은 '옛날에' 라는 의미입니다. 지혜자는 이 성경 구절을 통해 예전에 자신이 게으른 자의 밭과 지혜 없는 자의 포도원을 지나가면서 본 것을 이야기하고 있습니다. 지혜자의 눈에 비친 그곳은 가시덤불이 퍼져 있고, 거친 풀이 지면에 덮여 있고, 돌들로 만든 담이 무너져 내려 있었습니다.

이 게으른 자의 밭이 무엇을 심어 놓은 밭인지는 알 수 없습니다. 그러나 확실한 것 하나는 이 밭과 포도원은 폐기된 밭이 아니라 작물이 심겨져 있는 밭이라는 것입니다. 가시가 올라와 있고, 거친 풀이 지면을 뒤덮었으며, 돌담마저 무너져 내린 밭과 포도원을 어떻게 경작 중인 곳으로 볼 수 있는지 여러분은 의아해 하실 것입니다. 그러나 이 땅이 정말로 용도 폐기된 밭이라면 '게으른 자의 밭과 지혜 없는 자의 포도원' 이 아니라 '버린 밭' 이라고 하였을 것입니다.

밭에는 무엇인지 알 수 없지만 곡물이 심기어져 있었고, 포도원에도 포도나무가 있었습니다. 그런데 이스라엘 백성들에게 곡물은 양식이었고, 포도는 물 대신 마시는 포도주의 재료였습니다. 그러니까 이 밭과 포도원은 게으른 주인에게 있어도 좋고 없어도 좋은 그런 곳이 아니라, 생존을 위해 절대적으로 필요한 곳이었던 것입니다.

이 밭이 취미 삼아서 꽃을 몇 송이 심어 놓은 밭이었다면, 농사를 망쳤어도 크게 걱정할 필요가 없었을 것입니다. 그러나 이 밭은 그런 취미 활동을 하는 곳이 아니었습니다. 그들은 밭의 소출이 없고 포도원의 수확이 없으면 당장 먹을 것과 마실 것이 핍절해지는 형편이었던 것입니다.

## 연약함을 핑계 댈 때의 위험

그런데 이 생존에 있어 절대적으로 중요한 밭과 포도원에 거친 풀이 올라왔습니다. 가시덤불도 우거졌고, 돌담은 무너졌습니다. 어쩌다 이렇게 되었을까요? 그 밭 주인이 가시덤불 씨앗을 그곳에 뿌리고, 거친 풀들의 종자를 구해 와 심었을까요? 포도원 주인이 망치를 들고 각종 짐승들의 침입을 막기 위해 쌓아 놓은 담장을 일부러 무너뜨렸을까요? 아닙니다. 농부는 가시덤불이나 거친 풀들이 자라는 일에 별다른 기여를 하지 않았습니다. 그렇게 되기를 바란 적조차 없습니다.

그러나 이 모든 것은 주인의 잘못입니다. 물론 그에게 특별한 사정이 있었을 수도 있습니다. 사정이 어떻다 한들, 그는 연약함이라는 이름으로 자기의 의무를 덮어 버린 사람이라는 비난을 면하기 어렵습니다. 사람들은 흔히 연약함을 핑계로 자신의 의무에 대해 해이해집니다. 그러나 이것은 연약함이라는 것이 무엇인지 제대로 모르기에 그러는 것입니다. 진짜 연약한 사람들은 자기의 의무를 태만히 행하지도 않거니와, '연약하다' 라는 핑계 뒤에 숨지도 않습니다.

연약한 사람은 하나님 앞에서 자신이 아무것도 아닌 존재임을 고백하며, 자신은 하나님 없이 아무것도 할 수 없다고 생각하는 사람입니다. 독일의 시인 라이너 마리아 릴케(Rainer Maria Rilke)가 '가을날' 이라는 시에서 노래한 심정이 이런 것이 아닐까요? '내가 씨를 뿌리고, 김을 매고, 비료를 주고, 물을 뿌리지만, 농부인 나의 힘으로 농사가 되는 것이 아닙니다. 하나님, 이틀만 더 남국의 햇빛을 주셔서 이 포도로 영글게 해주시옵소서.' 이런 기원의 마음을 가진 사람이 진짜로 연약한 사람입니다.

자기가 태만해져서 의무를 성실히 행하지 않은 것을 두고 어쩔 수 없는 연약함이라고 핑계 대는 것은 하나님 앞에서 파렴치한 행동입니다. 왜냐하면 사람들이 흔히 연약함이라고 부르는 것의 실체는 게으름의 악인데, 그것을 정직하게 인정하지 않고 연약함이라고 두루뭉실하게 포장하여 넘어가는 것이기 때문입니다. 다시 말해서 게으름에 부정직을 더한 것입니다.

예를 들어, 우리가 기도의 의무를 감당하지 않는 것은 우리의 연약함 때문이 아니라, 우리 안에 도사리고 있는 나태한 본성 때문입니다. 사실 우리가 물러나 침륜에 빠지는 데에는 별다른 노력이 필요하지 않습니다. '기도하지 못하게 하는 법' 이라는 책을 읽으며 공부할 필요도 없고, 짐승같이 사는 법을 배울 필요도 없습니다. 그저 게으른 육체가 하고 싶은 대로 하며,

자기 편할 대로 살면 되는 것입니다.

이것은 선택의 문제입니다. 자기 스스로 하나님의 말씀을 좇아 분투하며 사는 삶을 피곤하고 힘들다는 이유로 버리고, 마음 내키는 대로 사는 삶을 선택한 것입니다. 그런데 여기에 어떻게 연약함이란 말이 어울리겠습니까?

하나님 앞에서 연약함을 이야기하는 것은 자기로서도 어쩔 수 없었음을 강조하고 싶어서일 것입니다. 그러나 정직히 스스로에게 물어보십시오. 어쩔 수 없어서 나태하였습니까? 어쩔 수 없이 부주의하였습니까? 아닙니다. 스스로 그러한 삶을 선택한 것입니다.

그렇기 때문에 이렇게 연약함이라는 말로 자기를 위장하는 사람은 대부분 게으름에 위선의 죄를 더하고 있는 것입니다. 그래서 게으름은 더욱더 교묘한 악입니다. 그리고 굉장히 용서받기 힘든 악입니다. 왜냐하면 게으름을 뼈저리게 미워하며, 게으름을 용서받기 위해 간절히 기도하는 사람이 너무나 소수이기 때문입니다. 더구나 대부분의 사람들이 게으름을 이처럼 치명적인 죄악으로 생각하지 않기 때문에, 이 게으름은 우리 영혼에 극심한 상처를 입힌 후에도 거룩한 삶에 대한 대적으로 파악되지 않습니다.

## 게으른 자, 마음이 모자라는 자

포도원과 밭이 이렇게 황폐해진 것은 그곳을 경작하고 돌봐야 할 농부의 부주의함 때문이었습니다. 농부가 그 땅을 돌보아야 하는 의무를 성실히 이행하지 않고 부주의하게 방치하였기 때문에 그렇게 황폐해진 것입니다.

그런데 성경은 이 밭과 포도원의 주인을 '게으른 자' 와 '지혜 없는 자' 로 묘사합니다. 이것은 지혜자가 땅의 임자와 상관없이 황폐해진 밭과 포도원만 보고 이야기한 것일 수도 있고, 아니면 동일한 사람의 두 땅을 보고 그 사람이 어떤 사람인지를 설명하기 위해 땅과 그의 사람됨을 평행법으로 구사하여 문학적으로 표현한 것일 수도 있습니다. 하지만 그것이 무엇이든지, 별로 중요한 문제가 아닙니다. 문제는 여기서 이야기하는 밭과 포도원이 다른 상황이 아니라 같은 상황을 보여주는 곳이라는 사실입니다. 즉, 지혜자는 '게으른 자' 와 '지혜 없는 자' 를 똑같이 보고 글을 전개하고 있는 것입니다.

여기서 '게으른 자' 라고 하는 것은 원어적으로 꼼짝달싹하기 싫어하는 '게으름뱅이' 를 뜻합니다. 그리고 '지혜 없는 자' 라고 번역된 부분은 히브리어 원문에는 '마음이 모자라는 자' 로 되어 있습니다. 한글 번역대로 '지혜 없는 자' 가 되기 위해서는 '지혜' 를 나타내는 히브리어 단어 '호크마' (חָכְמָה)를 써야 하는데, 이곳에서는 '마음' (heart)을 나타내는 히브리어 단어 '레브' (לֵב)를 쓴 것입니다.

'레브' 는 해석적으로 볼 때 '이해' (understanding), '판단' (judgement) 등을 암시하는 단어로 사용되기도 했습니다. 그래서 *NIV*성경에서는 '지혜 없는 자' 를 '판단력을 잃어버린 사람' 으로 표현하기도 합니다. 결국 우리말 성경의 번역은 그런 해석적인 순환을 거친 것 같습니다.

어쨌든 히브리어 성경이 갖는 묘사의 서정성을 살려서 이해하자면 '게으른 자의 밭과 마음이 모자라는 자의 포도원' 정도로 해석하는 것이 좋을 듯합니다.

## 마음을 다하는 사람에게 부어지는 지혜

중국에서 있었던 어느 전도자의 일화입니다. 당시만 해도 중국에 선교의 자유가 있을 때여서, 그는 전도대원들을 이끌고 중국 대륙을 종횡무진하며 복음을 전할 수 있었습니다. 그가 지나가는 곳마다 수백, 수천 명의 결신자들이 생겨났습니다. 조상 대대로 내려오는 우상 숭배 문화에 젖어 있던 그 사람들이 어떻게 생전 처음 복음을 듣고 그렇게 회심할 수 있는지 많은 사람들이 궁금해 했습니다. 그래서 사람들은 주의 깊게 그 전도자의 전도 방식을 살피기 시작했습니다. 자세히 지켜보다 보니, 그가 사용하는 전도 방식들은 너무나 정교하게 잘 고안된 것들이었습니다. 그 전도자는 전문적으로 선교학을 익힌 사람도 아니었기에, 어디서 그런 뛰어난 방법들을 배웠는지 궁금해진 사람들은 급기야 그 전도자에게 묻게 되었고, 그는 이렇게 대답했습니다. "마음을 다해서 영혼들을 하나님 앞으로 인도하기 위해 애를 쓰다 보니까, 하나님께서 지혜를 주셨습니다."

연장의 역사를 더듬어 가다 보면 우리들이 생각하는 것보다는 훨씬 오래 전에, 우리들이 지금 사용하는 거의 모든 연장의 기본 형태가 마련되었음을 알게 됩니다. 그런데 그 연장의 역사를 보면 열심히 한 가지 일에 몰두한 사람들에 의해서 그것이 만들어졌지, 조금만 힘들어도 끈기 없이 금새 털고 일어나 이곳저곳 기웃거리는 사람들에 의해서 만들어진 것이 아님을 알게 됩니다. 다시 말해, 마음을 모두 실어 최선을 다하며 부지런히 살 때 보다 효율적으로 일할 수 있게 하는 연장들이 생겨나게 된 것입니다.

### 지혜의 가치

인생의 시간이 똑같다면, 그 정해진 시간에 더 많이 하나님을 섬기며 살 수 있는 비결은 열심히 사는 것과 더불어 좋은 도구를 가지고 유능하게 일하는 것입니다.

저는 함께 일할 직원을 채용할 때에 제일 기피하는 사람이 불성실한 사람입니다. 그리고 두 번째는 성실하기는 한데 지혜가 부족한 사람입니다.

좋은 도구, 슬기로운 마음 없이 무조건 성실함으로만 덤벼서는 얻을 수 있는 열매가 매우 적습니다. 그런데 많은 분들이 슬기로움을 타고나는 것으로 생각합니다. 타고난 명민(明敏)함이 전혀 불필요한 것은 아니지만, 그것이 좀 부족하다고 해도 실망할 필요가 없습니다. 마음을 기울이고 그 일에 몰두하여 최선을 다하면 하나님께서 반드시 지혜를 주시기 때문입니다.

저는 적어도 필요한 책을 살 때만큼은 돈이 아깝다는 생각을 해본 적이 없습니다. 가격을 보고 책을 사는 것은 매우 잘못된 것이라고 생각하기 때문입니다. 왜냐하면 책은 값으로 환산할 수 없는 진리를 읽는 사람에게 가르쳐 주기 때문입니다. 가격이 비싸서 읽어야 할 책을 읽지 않거나, 가격이 싸서 읽지 않아도 될 책을 읽는 것은 옳지 않습니다.

약 7년 전에 죄 죽임에 관한 공부를 하기 위해 원서로 된 박사 학위 논문을 샀는데, 240페이지 정도의 얇은 책이 무려 6만 원이 넘었습니다. 솔직히 잠시 망설였습니다. 지갑을 만지작거리다 그냥 돌아오고 말았습니다. 그러나 며칠 후 다시 가서 그 책을 샀습니다. 그리고 나중에 한 권을 더 샀습니다. 저의 영적 생활에 지혜를 주는 책이었기 때문입니다. 한 권은 줄치면서 보고, 다른 한 권은 잘 보관해 두고 보고 있습니다. 지혜의 가치는 값으로 환산할 수 없습니다. 그것을 읽는 것이 자신의 영혼에 지대한 도움이 될 수 있고, 나로 하여금 하나님께 영광을 돌리는 삶을 살도록 만들어 줄 수 있다면, 아무리 비싸도 싼 것입니다. 책 자체의 가치 때문이 아니라, 그 안에 담긴 지혜의 가치 때문에…….

## 최선을 다하는 삶으로의 부르심

본문의 게으르고 지혜 없는 자는 일부러 밭과 포도원을 망가뜨린 것이 아니었습니다. 부주의함과 게으름으로 원치 않았던 결과가 초래된 것입니다. 우리들은 흔히 부주의한 것을 자신이 선택한 악이라 생각하지 않고, 자신도 그 부주의함 때문에 피해를 입은 당사자인 것처럼 생각합니다. 그러나 이것은 잘못된 생각입니다.

우리가 부주의해졌다면 그것은 우리 스스로가 부주의함를 선택한 것입니다. 그리고 우리로 하여금 부주의함을 선택하게 하는 것은 바로 게으름입니다. 부주의함의 선택을 피하려면 인간의 모든 기관이 활발하게 활동해야 합니다. 그런데 게으른 사람은 그렇게 하기 싫어하기 때문에 부주의한 삶으로 나아가는 것입니다.

생각하는 것을 싫어하고, 주어진 일에 마음을 기울이며 살지 않는 것이 얼마나 사악한 행동인지 우리는 자각해야 합니다. 그것은 게으름이 자신에게 스며드는 것을 방조하는 것으로, 자신 안에 있는 하나님의 형상을 간접적으로 파괴하는 행동입니다.

집중하지 않는 사람의 부지런함은 진정한 의미의 부지런함이 아닙니다. 그것은 그에게 있어서 그 일이 기계적인 처리가 가능한 습관화된 일임을 보여줄 뿐입니다. 그런 방식으로 일하면서 그 일 속에서 함께하시는 하나님을 만나고, 그 분의 도움을 사모하여 의지한다는 것은 불가능합니다. 처음에는 하나님과 함께 시작하였지만, 마지막은 하나님 없이 끝날 것입니다.

부주의함과 나태함의 문제를 대수롭지 않게 넘기지 마십시오. 이것의 정체는 우리의 영혼에 해를 입히는 게으름이라는 죄입니다. 이 문제에 대항하여 이를 악물고 싸우십시오. 아무렇게나 살지 말고, 치열하게 주어진 일에 몰두하십시오. 그리고 바람직한 결과에 대해 끊임없이 하나님께 기도로 의뢰하십시오.

이것이 바로 여러분을 지혜롭게 하시려는 하나님의 요구입니다.

거.룩.한. 삶.의. 은.밀.한. 대.적.

**게.으.름**

# 5

## 가시 울타리로 이어진 길 : 게으름의 결과 / 고통

"게으른 자의 길은 가시 울타리 같으나
정직한 자의 길은 대로니라" (잠 15:19)

## 가시 울타리로 이어진 길

게으름은 우리들이 평생 싸워야 할 적입니다. 그럼에도 불구하고 자신이 게을렀던 것에 대하여 가슴을 치며 회개해 본 경험이 있는 사람은 그리 많지 않습니다. 그래서 게으름은 더 위험합니다.

본문 말씀은 이 게으름의 또 다른 특징을 "게으른 자의 길은 가시 울타리 같으나 정직한 자의 길은 대로니라"라는 말로 설명하고 있습니다. 이것은 히브리 문학에서 자주 등장하는 평행법인데, 특이하게도 여기에서 쓰인 평행법은 원칙에 맞지 않는 것입니다. 원칙적으로는 게으른 자가 나왔으면 부지런한 자가 나와야 하는데, 난데없이 정직한 자가 등장하는 부분이 그렇습니다. 이것은 본문이 해석이 가미된 상태에서 평행법을 적용하였기 때문에 생긴 현상입니다. 또한 '길' 이라는 말이 2번 나오는데, 여기에 사용된 단어가 서로 다릅니다. '게으른 자의 길' 에서의 '길' 은 히브리말로 '데레크' (דֶּרֶךְ)라는 단어이고 '정직한 자의 길' 에서의 '길' 은 '오라흐' (אֹרַח)라는 단어인데, '데레크' 는 '정식으로 난 큰 길' (way)이고 '오라흐' 는 '통행로' (path)정도의 의미를 담고 있습니다.

이 두 단어에 이어, '대로' 를 나타내는 단어 '세룰라' (סְלֻלָה)가 나오는데, 이것은 '높이다' 라는 의미를 가진 '사랄' (סָלַל)이라는 동사에서 유래된 명사입니다. 창세기에서 야곱이 본 하늘에 맞닿은 '사닥다리' 가 히브리어로 '술람' (סֻלָּם)인데, 그 단어 역시 여기서 유래된 것 같습니다(창 28:12). 그 뜻은 '큰 도로' (highway)입니다. 따라서 본문에 나오는 '대로' 의 정확한 의미는 넓게 만들어져 하늘까지 닿도록 쭉 뻗어 있는 고속도로 같은 것을 의미하는 것으로 보는 것이 옳을 듯합니다.

쉽게 말해 게으른 자의 길은 큰 길이고 정식 도로였는데 한참 걸어갔더니 가시 울타리가 나왔고, 정직한 자의 길은 처음에는 통행로 같은 작은 길이었는데 조금 들어가 보니 하늘에 맞닿아 있는 고속도로처럼 곧게 뻗은 길이었다는 것입니다.

그럼 우선 그 내용을 풀어 이해해 봅시다. '게으른 자의 길은 가시 울타리 같으나' 라고 했는데, '게으른 자의 길은 가시 울타리다' 가 아니라 '가시 울타리 같다' 는 것입니다. 즉, '게으른 자가 들어서는 길은 처음에는 큰 길이지만 가다 보면 그의 인생길이 가시밭길과 같아지고, 정직한 자(올바른 자)의 길은 처음에는 작은 통행로 같지만 한참 걸어가면 누군가에 의해 하늘에까지 닿도록 만들어진 고속도로 같아진다' 는 것입니다.

## 게으른 자의 선택

이 성경 본문을 통해 우리는 게으른 자들의 선택은 눈에 보기 좋고 쉬운, 많은 사람들이 보편적으로 생각하는 인생길임을 알게 됩니다. 실제로 구약 성경에서 히브리어로 '데레크'라는 말은 인생길을 의미하기도 합니다.

그러면 대체 왜 게으른 자들은 쉬운 것만 선택할까요? 이것은 게으른 사람에게는 특별히 그 자신을 사로잡는 절실한 꿈이 없기 때문입니다. 꿈이 있어도 그것을 실현할 구체적인 생활의 목표가 서 있지 않으면 그것은 한낱 희망 사항일 뿐입니다.

그 꿈이 단지 희망 사항이 아니라 비전이 된 사람들의 특징은 그 꿈을 현실화하는 구체적인 삶의 소(小)목표들이 설정되어 있다는 것과 그 목표를 이루기 위해 희생할 각오가 되어 있다는 것입니다.

꿈을 꾸는 것은 아무런 희생도 요구하지 않지만, 그 꿈을 이루기 위해서 세운 목표는 우리에게 피와 땀과 눈물을 요구합니다. 그러므로 게으른 사람은 목표를 세우려 하지 않고, 설령 목표를 세웠다 하더라도 갖가지 핑계를 동원하여 그것을 실천하지 않습니다. 이런 사람에게 '하나님의 영광을 위해 이렇게 하자'라고 설득하면, 그는 여러 가지로 변명을 늘어놓을 것입니다. 그러나 그의 속내는 하나입니다. '나는 하나님께 영광을 돌리는 것보다 힘 안 드는 것이 더 좋다'는 것입니다.

이러한 태도를 성경적 표현으로 풀이하면 '나의 하나님은 내 배다'입니다. 빌립보서를 보면 "저희의 신은 배요"라는 구절이 나옵니다(빌 3:19). 여기서 배는 원어적 의미로 창자입니다. 창자는 히브리식 사유(思惟)에 따르면 인간의 욕망의 좌소입니다. 따라서 이 성경 구절의 뜻은 '저희 하나님은 저희가 하고 싶어하는 욕망이요' 인 것입니다.

게으른 자의 길은 처음에는 쉽습니다. 자고 싶은 대로 자고, 쉬고 싶은 대로 쉬며, 마음 내키는 대로 살 수 있기 때문입니다. 그러나 그 쉬운 길은 죄로 이어지는 길입니다. 따라서 계속 따라가면 상상조차 하지 못했던 어려움과 고난에 직면하게 될 것입니다.

그런데 이러한 게으름의 폐해를 깨닫고, '이러면 안 되겠다' 고 마음 먹었다면 이제 필요한 것은 구체적으로 목표를 세우는 일입니다. 깨달은 것만으로는 부지런히 살 수 없습니다. 정말로 게으름을 떨치고 일어나기 위해서는 스스로 무엇을 할 것인지 구체적으로 말하는 일이 필요합니다. '매일 새벽 기도를 나오겠습니다. 도와주십시오' 아니면 '잠을 하루 6시간 이하로 줄이겠습니다. 건강을 주십시오', '시간을 낭비하게 만든 쓸데없는 일들을 나의 삶에서 몰아내겠습니다. 그것을 버릴 수 있도록 도와주십시오' 하며 구체적으로 기도할 때 삶의 변화가 동반됩니다. 구체적인 목표 없이 '부지런히 살고 싶으니 도와주세요' 라고 해서는 아무것도 나아질 것이 없습니다.

삶을 고치기 위해서는 분명한 목표를 설정하고 그것을 실천적으로 좇으며 살아야 합니다. 자신이 게으르게 살았다고 생각한다면, 정확히 어떤 부분이 게을렀는지를 찾아 고쳐야 합니다.

잠이 너무 많아서 문제라면 잠을 줄이고, TV 앞에서 보낸 시간이 너무 많다면 TV를 치워 버리십시오. 육체적으로는 게을렀다고 말할 수 없지만, 영적으로는 몹시 게을렀다고 생각한다면 자기의 영적 게으름을 타개하는 일에 마음을 써야 합니다. 이처럼 자신의 게으름을 파악하고 그 게으름의 단절을 위한 구체적인 목표를 세우는 것은, 게으름의 위험을 깨닫는 일만큼이나 중요한 일입니다.

하나님 앞에서 분명한 목표를 세우고 살면, 하나님께서 어떻게 자신을 도우셨는지가 분명해지고 자신이 그 목표대로 잘 살았는지 그러지 못했는지 명백하게 드러납니다. 따라서 감사든 회개든 선명해지며, 회복도 분명하고, 성화의 진전도 뚜렷해집니다.

그런데 목표 없이 막연하게 부지런히 살아야겠다고 생각한다면, 아무리 눈물 흘리며 기도했다고 하더라도 TV 프로그램 한편 보고 나면 모든 것을 잊어버리고 맙니다. 돼지가 깨끗이 씻고 나서도 더러운 구덩이로 다시 돌아가고, 개가 자신이 토했던 곳으로 다시 돌아가는 것처럼 게으른 옛 삶을 다시 반복해서 살게 되는 것입니다(벧후 2:22).

기억하십시오. 삶을 고치지 않은 채, 계속해서 듣기만 하는 것은 단지 설교를 즐기는 일입니다. 신자가 은혜를 받고도 삶이 그 말씀에 부응하지 않으면, 말씀의 미각은 곧 상실됩니다. 삶의 미끄러짐, 마음의 미끄러짐이 말씀의 미각에서 미끄러지게 만드는 것입니다. 그래서 급기야 그 말씀에 대해 반감을 갖게 만듭니다.

따라서 우리는 '이러면 안 되겠다'는 자극이 오면, 구체적으로 결단해야 합니다. 게을렀던 것을 회개했다면, 무엇이 게을렀는지 정확히 파악하고, 그것을 어떻게 고칠 것인지 구체적인 작정을 해야 합니다.

## 게으른 삶의 결과

게으른 자는 넓은 길을 택합니다. 넓은 길이 걸어가기 쉽기 때문입니다(마 7:13). 그 길은 자기와의 씨름도, 죄 죽임의 고뇌도 없이 편안합니다. 그러나 그렇게 안일하게 걸어가는 동안, 게으른 자들은 온갖 위험에 노출됩니다. 그리고 그 위험은 시간이 지날수록 점차 현실로 드러나기 시작합니다.

육체적인 차원에서는 게으르면 많이 먹고 운동을 안 하기 때문에, 몸이 심각하게 비대해지기 시작하고 그러면서 각종 신체적 이상들이 나타나게 됩니다.

영적인 차원에서도 게으르면 지·정·의가 망가집니다. 게으른 사람의 의지는 매우 나약하게 되어, 어떤 일을 시도해도 그것이 이루어질 때까지 하는 것이 아니라 하기 싫어질 때까지만 하려 합니다. 또한 정서는 부패하게 되어, 자기만을 위하려는 적극적인 죄에 대한 욕망을 갖게 합니다. 지성 역시 망가져 그 사람으로 하여금 논리를 버리고 무조건 편한 것만 택하게 만듭니다. 이처럼 게으름은 인격의 3요소인 의지와 정서와 지성에 영향을 주어, 그의 자기 발전을 저해하고, 그의 전체적인 인격이 불결해지게 만듭니다.

더구나 영적으로 보았을 때, 게으른 자의 영혼은 부패해져 있으므로 하나님과의 관계가 많이 손상되어 있습니다. 그래서 이런 사람일수록 죄가 들어오기 용이한 마음의 틀을 가지고 있습니다.

그런데 게으른 사람들에게는 반드시 열매가 있는데, 그것이 바로 여기에 나오는 '가시 울타리'와 같은 삶입니다. 아무 노력도 하지 않고 게으르게 살다가 어느 순간 스스로를 돌아보니, 육체는 다 망가져 있고 영혼은 너무나 피폐해져 있습니다. 그래서 삶의 구체적인 목표를 가지고 신실하게 살아가는 영적으로 살아 있는 사람들과는 융화가 이루어지지 않습니다. 따라서 참된 성도가 되려고 하는 사람들과 교제를 나누는 것이 아니라, 자기와 비슷한 사람을 만나 교제하기 시작합니다. 이러면서 게으른 사람은 참된 성도들의 회중으로부터 이탈되고 하나님의 은혜로부터 소외되는 것입니다.

이렇게 육체도, 인격도, 영혼도, 관계도 모두 망가지는 것이 바로 '가시 울타리'로 묘사된 게으름의 결과입니다. 이처럼 게으른 자에게는 반드시, 그 동안 게으르게 살면서 뿌린 악한 씨앗들을 거두어 들여야 하는 때가 오는 것입니다.

## 게으름의 그늘에 깃들이는 악

본문에서 '정직한 자'라는 표현은 '올곧은', '똑바른', '옳은' 등의 의미를 가지고 있는 히브리어 동사 '야샤르'(יָשַׁר)에서 온 단어입니다. 따라서 '정직한 자'로 의미를 한정하기보다는 '의로운 자', '올바른 자' 등의 포괄적 표현으로 이해하는 것이 문맥을 살피는 데 도움이 됩니다.

그런데 게으른 자와 상반된 의미를 나타내는 단어로 이 '야샤르'가 쓰인 것은 우리에게 중요한 한 가지를 시사합니다. 바로, 게으름의 그늘에는 불법, 편법, 바르지 못함, 부정직한 것들이 깃들이기 쉽다는 사실입니다.

게으른 사람들은 대부분 요령을 피우는 사람들입니다. 따라서 게으른 사람 중에서 정직하고 올곧은 사람을 찾기란 불가능합니다. 게으름을 피우면서도 남들만큼 살기 위해서는, 게으름을 피우느라 남보다 뒤처진 부분을 보충하기 위해 어쩔 수 없이 편법을 쓰며 살아야 할 때도 있기 때문입니다.

불법한 방식으로 살아야만, 게으름을 피우면서도 다른 사람하고 비슷하게 살아갈 수 있기 때문입니다. 게으름을 '악'으로 보는 것이 타당함도 바로 이 때문입니다.

## 좁은 길로 가는 사람

정직한 자의 '길'을 나타내는 히브리어 단어 '오라흐'(ארח)는 '작은 길'이나 '통행로'를 뜻합니다. 이 길은 가시 울타리로 이어지는 게으른 자의 길과는 달리 하늘로 쭉 뻗은 대로로 이어지는 길로, 들어가는 길은 작으나 들어가 보면 큰 길이 나오는 것입니다.

사실 게으름을 버리고 부지런하게 정도(正道)를 따라 사는 일은 많은 희생을 요구합니다. 세상에 휩쓸려 살아가는 것보다 훨씬 어렵고, 자신을 비난하는 악의에 찬 사람들도 많이 만나게 되기 때문입니다.

그래서 성경은 정직한 자(의로운 자)의 길을 넓고 좋은 길이 아니라, 작은 통행로로 묘사합니다. 작은 통행로에는 예상치 못한 난관이 있기 마련입니다. 진흙탕을 만나기도 하고, 돌짝밭을 피곤하게 걸어야 하기도 할 것입니다. 작은 길에는 늘 부대낌과 시련이 있습니다. 그러나 그것이 바로 정직하고 성실하게 살아가는 사람들의 삶의 모습입니다.

그래서 정직하고 올바르게 살아가는 사람들은 게으른 사람들과 달리, 항상 긴장 상태에 있습니다. 항상 자기를 관리하기에 힘쓰고, 자신의 삶을 가로막거나 마음을 더럽힐 수 있는 위험한 것들에 대한 경계심을 늦추지 않은 채 살아가는 것입니다.

그러므로 부지런하고 성실하게 하나님의 말씀을 따라 바르게 살아가는 사람들의 얼굴에는 언제나 땀이 흐릅니다. 게으른 사람들에게는 쉬는 시간이 대부분이고 일하는 시간이 가끔이지만, 성실한 사람들에게는 일하는 시간이 대부분이고 쉬는 시간은 가끔이기 때문입니다.

악보에 비유하자면, 게으른 사람의 인생 악보에는 쉼표만 가득하고, 올바르게 살아가는 사람의 인생 악보에는 음표가 가득한 것입니다. 그래서 게으른 사람의 인생은 한가해도 아름다운 멜로디가 없지만, 성실한 사람의 인생은 힘들어도 아름다운 노래가 있습니다. 어떤 인생이 하나님 들으시기에 더 아름다운 음악을 연주할지는 굳이 설명하지 않아도 될 것입니다.

## 정직한 자에게 열리는 고속도로

정직하고 곧게 살아가는 것은 자기 안에 있는 게으르고자 하는 부패성과 끊임없이 싸워야 하는 일입니다. 이것은 정말로 쉬운 일이 아닙니다. 좁은 통행로를 걸어가는 것처럼 힘든 일이며, 미래에 어떤 보장도 없을 것같이 느껴지는 위험한 모험입니다.

그러나 성경은 그 길이 지금은 좁은 것 같으나, 한참 가다 보면 훤히 뚫린 고속도로로 들어서게 되리라고 약속하고 있습니다. 사실 이 원칙은 은혜의 세계뿐 아니라 우리의 일상적인 삶에서도 잘 들어맞습니다.

당장은 부지런히 사는 것이 어려워 보이고 잔꾀를 부리며 게으르게 사는 것이 쉬워 보여도, 시간이 흐르면 성공은 부지런히 노력한 자를 향해 미소 짓고 있는 것을 볼 것입니다. 이 원칙이 이렇게 일반적인 삶에 있어서도 잘 맞는데, 하물며 영적인 삶에 있어서는 얼마나 잘 맞겠습니까?

물론 부지런히 사는 동기가 나중에 받을 축복 때문이어서는 곤란합니다. 사실, 대가를 바라는 마음으로 정직한 길을 걸어가고 있는 것이라면, 하늘에 맞닿은 고속도로를 만나기 전에 자신이 먼저 지쳐 버릴 것이지만 말입니다. 신자가 정직한 자의 길을 가는 진정한 동기는 그것을 하나님께서 기뻐하시기 때문입니다. 부지런하고 정직한 사람들에게는 하나님께서 기뻐하시는 것이 곧 자신의 기쁨인 것입니다. 그들은 육신의 소욕을 좇아 사는 대신, 그리스도의 고난을 생각하며 자기를 십자가에 못박고 하나님의 뜻을 따릅니다. 당장 그것 때문에 금시발복(今時發福)하는 축복이 주어지지 않는다 할지라도 그의 관심은 축복이 아니라 거룩입니다.

또한 그는 하나님께서 쏟아 주실 물질보다 올바른 길을 걸어가는 사람이 되는 것을 더 사랑하는 사람이기 때문에 끊임없이 몸부림치며 거룩한 생활을 위한 자기의 의무를 성실하게 수행해 나가는 것입니다. 그러는 가운데 처음 들어선 작은 통행로는 상상할 수 없이 넓은 길이 되어서, 후에는 정말 보람 있게 하나님과 동행하는 삶을 살게 합니다.

## 게으름과 영적 침체

정직한 자는 또한 말씀을 깊이 사모합니다. 그것이 그에게 어떻게 살아야 하는지 지혜를 가르쳐 주기 때문입니다.

그러나 게으른 자는 하나님의 말씀을 정확하게 깨달으려고도, 말씀을 탐구하려고도 하지 않습니다. 자기 마음대로 사는 것이 좋기에, 이렇게 살아라, 저렇게 되어라 하는 하나님의 말씀이 탐탁지 않은 것입니다. 게으른 사람은 하나님께서 무언가 하시려고 해도, '내 맘에 안 드는 건 아무리 하나님이시라도 맘대로 못하십니다' 라는 태도로, 자기 자신을 중심에 놓고 하나님을 멸시하며 살아갑니다.

그러나 그렇게 살다가도 말씀을 통해 강한 자극이 오면 충격을 받기도 합니다. 그러나 게으른 사람에게는 은혜가 부어져도 단발적인 충격으로 끝납니다. 무엇인가 충격을 받았으면 그것이 계기가 되어서 자신의 안일한 삶을 회개하고 하나님께로 돌아와야 옳은데, 그 충격은 사람에게 전혀 영향을 끼치지 못하고 그냥 며칠 머물다 사라집니다. 결국 그것은 충격도 아니고 일시적으로 그의 영적 수면을 방해한 것에 불과한 것입니다.

여름 수련회나 사경회를 오가며 은혜를 받으면 뭐합니까? 실천적으로 하나님 앞에 나와서 간절히 기도하며 자신을 고쳐 가는 일들을 하지 않는 이상 그 은혜는 이번에도 어김없이 얼마 가지 못할 것입니다. 그냥 잠시 눈을 떴다가 "내년 여름 수련회 때 다시 깨워줘" 하고 다시 잠들어 버리는 것과 똑같은 것입니다. 그러면 도대체 무엇이 신자로 하여금 이렇게 한심한 삶을 반복하게 하는 것입니까? 바로 게으름입니다.

## 왜 살아 있느냐 물으시거든

게으른 사람은 늘 넓은 길을 택하는데, 이는 쉬운 길로 가고자 하기 때문입니다. 그래서 게으른 사람은 영적으로 늘 죽어갈 수밖에 없습니다.

우리 예수님의 생애와 그 분을 인격적으로 만났던 사람들의 생애를 생각해 보십시오. 사도행전에서, 성령 강림 사건을 통해서 예수님을 제대로 만난 사도들 속에서 게으름을 볼 수 있습니까? 나태와 안일로 인한 부주의와 우유부단을 발견할 수 있습니까?

오히려 그들은 세상을 미워했고 하나님을 사랑했습니다. 그리고 나태와 안일을 악마처럼 미워했습니다. 조지 휫필드(George Whitefield)는 "나는 썩어서 죽느니 닳아서 죽겠다"고 했습니다.

하나님을 마음 아프게 하고, 그 분의 영광을 훼방하며, 하나님의 나라에 누를 끼치는 장애물로 살아온 것은 지금까지의 삶만으로도 충분합니다. 이제는 정말 우리 모두, 우리가 이 세상에 살아 있는 것 때문에 하나님께서 우리를 구원하신 보람을 느끼실 수 있도록 살아야 합니다.

며칠 전, 저는 이런 생각을 했습니다. 어느 날 하나님께서 "얘야! 내가 왜 널 계속 살려 둬야 하니?"라고 물으시면 나는 뭐라고 대답할까, "이러이러한 이유 때문에 아직은 꼭 살아 있어야 합니다"라고 말할 수 있을까 하고 말입니다.

여러분에게도 묻고 싶습니다. 여러분에게는 꼭 살아 있어야만 하는 이유가 있습니까? "아직 애들이 너무 어려서", "아직 결혼도 못 해봤는데", "사업을 이렇게 벌여 놓아서" 같은 대답들 말고, 하나님께서 들으시고는 "그래. 네가 이 세상에 살아 있어야지만 이 세상도 좀더 내가 기뻐하는 모습으로 돌아오겠구나" 하실 만한 이유가 있습니까?

우리는 우리가 즐거우려고 이 세상에 살아 있는 것이 아닙니다. 언제까지가 될지 모르지만, 우리를 사랑하사 이렇게 당신 앞에서 살아가게 하신 하나님의 영광을 위해 우리의 모든 것을 쏟아 붓고자 여기 있는 것입니다.

## 시간을 붙들어 맬 수는 없습니다

예수님께서는 좁은 길로 가셨습니다. 그리고 그 길에서 최선을 다해서 우리 하나님을 섬겼습니다. 다른 사람들의 절반밖에 안 되는 수(壽)를 누리셨지만, 그 분은 게으름과는 거리가 먼 분이셨기에 이 세상의 어느 인간보다도 많은 일들을 이루셨습니다.

그 분은 일체의 성실함과 부지런함으로, 비가 올 때나 바람이 불 때나 사람들이 당신의 말씀을 기뻐할 때나 대적할 때나 올곧게 진리를 따라 사셨습니다. 그리고 사시는 대로 가르치셨고, 가르치신 대로 몸소 모본을 보이셨습니다.

여러분, 시간은 우리를 기다려 주지 않습니다. 그 누구도 시간을 붙들어 놓을 수는 없습니다. 돌아보면, 정말 많은 날 동안 우리는 헤아릴 수 없이 많은 은혜를 그 분으로부터 받았습니다. 우리의 영혼을 흔들어 깨우며 찾아오시는 주님으로 인해 감격했고, 그 분이 가르쳐 주시는 복음의 진리로 인해 말할 수 없는 기쁨에 사로잡혔었습니다. 그러나 그럼에도 불구하고 우리가 하나님께 기쁨이 되었던 시간들은 너무나 짧습니다.

그러나 아직 우리에게는 기회가 있습니다. 우리에게는 아직 그 분을 위해 살 수 있는 인생이 남아 있습니다. 우리에게 주어진 매일매일의 시간이 얼마나 소중한 것인지 안다면, 절대 안일하게 살지 못할 것입니다. 절대 함부로 시간을 낭비하지 못할 것입니다.

우리는 매 순간, 하나님 앞에서 온 마음과 뜻과 성품을 다해 주님을 위하여 살아야 합니다. 그것이 우리에게 남겨진 시간을 우리 하나님께 영광 돌리는 데에 사용하는 방법입니다.

사랑하는 여러분! 우리 앞에는 두 가지 길이 있습니다. 대로로 통하는 좁은 길과 가시밭길로 이어지는 넓은 길입니다. 여러분은 어느 길로 가시겠습니까? 잠시 편안하게 살다가 가시 울타리를 만나서 하나님 앞에 좌절하는 삶을 사시겠습니까, 아니면 지금은 비록 좁은 골짜기를 걸어가는 것 같지만 궁극적으로는 하늘 가는 밝은 길로 이어지는 거룩한 무리들이 지나갔던 영광스런 대로에 서시겠습니까?

### 삶을 통한 입증

부지런히 살기 위해서는 부단한 노력이 필요하나, 게으른 삶을 사는 것은 매우 쉽습니다. 따라서 조금만 방심해도 우리의 삶은 게으름의 손짓을 따라 움직이고 맙니다.

우리는 게으름이 유혹하는 쉽고 편한 길을 바라보는 대신 예수님께서 걸어가셨던 좁고 험한 길을 바라보아야 합니다. 예수님을 생각해 보십시오. 그 분은 겨우 33년을 사셨을 뿐이지만, 3,300년을 산 사람이 있다고 할지라도 이룰 수 없는 일들을 이루고 가셨습니다.

외로움이 그 분의 친구였고 고단함이 그 분의 동반자였지만, 그 분에게는 꿈이 있었습니다. 그 꿈은 하나님께서 창조하신 수많은 영혼들을 아버지의 사람으로 돌이키는 것이었습니다.

그 일을 위해서 그 분은 구체적인 계획과 목표를 세우셨고, 사람의 몸을 입고 세상에 오셨습니다. 그리고 이 땅에서 30년을 준비하시고 3년간 불꽃처럼 사역하셨습니다.

물론 예수님께서도 쉬셨습니다. 그러나 그 분의 쉼은 게으른 사람의 휴식과 달랐습니다. 게으른 사람의 휴식은 휴식 속에서 즐거움을 맛보기 위한 것이지만, 예수님의 휴식은 다시 일하기 위한 것이었습니다. 우리의 쉼은 예수님을 본받아야 합니다.

우리는 육체를 가진 인간이지 무한정 일하도록 만들어진 기계가 아닙니다. 기계도 계속 무리하게 작동을 하면 제 기능을 수행하지 못하는데 하물며 연약한 육신과 정신을 가진 인간이야 더 더욱 쉼이 필요하지 않겠습니까?

그러나 적절한 쉼은 우리의 육체에 새 힘을 주고 영혼에 선한 욕구를 불러일으키지만, 부적절한 쉼은 육체를 게으르게 하고 영혼을 싫증에 떨어지게 합니다.

여기서 '적절한 쉼'이라고 하는 것은 적어도 두 가지 요소를 구비한 쉼입니다. 첫째는 육체의 원리에 맞는 노동으로부터의 쉼입니다. 하나님께서

6일 동안 천지를 창조하시고 제7일에 쉬신 것도 바로 이러한 안식의 필요를 보여주신 것입니다. 둘째는 영혼의 원리에 맞는 쉼입니다. 육체가 과중한 노동으로 장시간 피곤하게 되면, 특별히 예외적인 경우가 아닌 이상, 영혼의 선한 목표를 향한 집중력도 떨어지기 시작합니다. 그런데 우리가 하나님 앞에서 갖게 된 선한 목표를 위해 살기 위해서는 육체도 부지런하게 움직일 수 있는 힘이 있어야 하지만, 영혼도 그 일이 가진 선한 가치에 대하여 싫증을 느끼지 않을 수 있는 열렬함을 유지하고 있어야 합니다. 따라서 그냥 육체를 노동으로부터 벗어나게 하는 것만으로는 쉼을 통하여 다시 일할 수 있는 에너지를 회복하지 못합니다. 그러므로 육체를 노동으로부터 벗어나 쉼을 갖게 할 때에는 반드시 영혼을 선한 가치에 대하여 집중시켜야 합니다. 육체는 노동의 의무를 벗어버림으로써 쉼을 얻지만 영혼은 오히려 하나님께 집중함으로 새 힘을 얻기 때문입니다. 성경은 말합니다. "오직 여호와를 앙망하는 자는 새 힘을 얻으리니 독수리의 날개 치며 올라감 같을 것이요 달음박질하여도 곤비치 아니하겠고 걸어가도 피곤치 아니하리로다" (사 40:31).

예수님께서도 우리를 쉼에로 초청하셨고(마 11:28), 제자들에게 쉬도록 명하셨습니다(마 26:45, 막 6:31, 14:41). 그럼에도 불구하고 예수님의 쉼은 언제나 쉼 자체를 위한 것이 아니라, 새롭게 일하시기 위한 쉼이었습니다. 따라서 우리의 쉼이 육체를 의무에서 벗어나게 함으로 마음을 무절제한 휴식의 방탕에 흐르도록 내버려 두는 그런 종류의 쉼이어서는 안 됩니다. 우리는 쉼까지도 예수님의 그것을 본받아야 합니다.

제가 전도사 시절의 일입니다. 교역자 회의를 하던 중 한 교역자가 심방을 안 하는 것이 드러났습니다. 연로하신 담임 목사님은 낮은 어조이지만 침통한 목소리로 "그렇게 하면 되겠습니까?" 라고 그 교역자를 나무랐습니다. 이윽고 교역자 회의가 끝나고 모두들 자리를 떠나는데, 담임 목사님만이 유독 자리에서 일어날 생각을 하지 않고 계셨습니다. 그래서 가만히 살펴보니 그 분은 슬픈 기색으로 이렇게 혼잣말을 하고 계셨습니다. "저렇게 게으르게 살다가 주님을 어떻게 만날꼬. 저렇게 나태하게 일하다가 무슨 면목으로 우리 주님을 뵈오려고." 가슴 아픈 표정으로 고개를 드신 그 분의 눈가에는 이슬이 맺혀 있었습니다.

저는 그것이 주님의 마음이라고 생각합니다. 사랑하는 여러분! 그렇게 살다가 어떻게 주님을 뵈오려고 그러십니까? 여러분이 게으름을 고수하는 한, 여러분이 꿈꾸는 모든 선한 것들은 꿈속에서 사라질 것입니다.

죄에 대한 승리, 거룩한 생활, 진실한 신자의 삶을 꿈꾸지만 결국 사라져 갈 것입니다. 지금은 게으른 삶이 편안한 것 같고 아무 목표 없이 살아가는 삶이 쉬운 것 같지만, 그렇게 살다가는 얼마 지나지 않아 가시 울타리를 만나게 될 것입니다. 그리고 그 환난을 만날 때, 내 안에 붙들어야 할 그리스도가 계시지 않다는 사실을 발견하고 가슴 치며 후회하게 될 것입니다.

여러분! 지금이라도 늦지 않았습니다. 다시 구체적인 목표를 세우십시오. 그리고 싸우십시오. 삶을 통해 여러분이 게으르지 않고, 어찌하든지 주님을 섬기며 살고자 하는 존재임을 입증하십시오. 여러분의 게으름을 가슴 아파하시는 그 분 앞에…….

# 제2부 익숙한 게으름과의 작별

거.룩.한. 삶.의. 은.밀.한. 대.적. 게.으.름

# 6

## '하나님, 너무 자서 죄송해요' : 게으름과 잠(I)

"게으름이 사람으로 깊이 잠들게 하나니
해태한 사람은 주릴 것이니라" (잠 19:15)

## '하나님, 너무 자서 죄송해요'

신학대학에서 교수로 섬길 때 일입니다. 당시 학교는 안양에 있었고, 집은 인천에 있었기 때문에 매일 출근하는 것이 제게는 큰 일이었습니다. 거리도 멀었지만, 출근 시간이면 엄청나게 밀리는 차들 때문에 길거리에서 허비하는 시간이 너무 아까웠습니다. 그래서 한동안 차가 다니지 않는 새벽 일찍 학교에 출근했습니다.

아침 6시쯤 학교에 도착하여, 교수실이 있는 건물 뒤편의 동산에 올라가 새벽 기도를 하는 것으로 하루 일과를 시작했습니다. 기도를 마치고 방석과 깔판을 들고 동산을 내려오노라면 학생들이 물밀듯이 들어오는 등교길의 풍경이 눈에 들어왔습니다. 그 무리에 섞여 헉헉대며 출근할 때와는 비교할 수 없는 여유가 하루 시작의 작은 차이로부터 흘러나와 삶 전체를 적시는 것을 느낄 수 있었습니다.

그 때는 지금보다 훨씬 젊고 건강했기 때문에 마음이 원하는 것만큼 충분히 부지런한 삶을 살 수 있었습니다.

고(故) 박윤선 목사님은 자신의 자서전에 이런 말을 남겼습니다. "내일은 나의 날이 아니다. 그래서 나는 늘 이 하루가 마지막 날인 것처럼 최선을 다하여 시간을 아끼며 살아왔다."

저 역시 늘 시간을 아끼며 살아야 한다고 생각했고, 또 그렇게 살고자 노력하였습니다. 그래서 하루는 수업을 끝내기 전에 잠시 학생들에게 시간 선용에 대해 이야기를 했습니다. 역사적으로 영적인 인물들이 얼마나 시간을 철저히 사용하였는지를 실례로 들면서, 그렇게 부지런한 삶을 살지 못하는 것은 게으름 때문이라는 이야기와 자기를 다 소진하시기까지 사신 예수님의 생애를 보며 제가 받은 도전을 몇 마디 나누었습니다.

강의가 끝났을 때, 대표 기도를 하게 된 학생이 목멘 음성으로 이렇게 기도하였습니다. "하나님, 너무 많이 자서 죄송해요."

## 잠의 원칙

게으름이 배어들기 가장 좋은 곳이 잠입니다. 과도한 잠의 문제는 가책을 덜 느끼는 죄인 동시에 우리의 영적 생활에 아주 심각한 폐해를 가져오는 죄입니다.

아마도 여러분은 이렇게 묻고 싶을 것입니다. "그러면 우리가 몇 시간을 자야 한다는 것입니까? 얼마를 자야 건강한 수면 생활이고, 얼마를 자야 방탕한 수면 생활입니까?" 그러나 이것은 획일적으로 말할 수 있는 문제가 아닙니다. 체질적으로 너무 약해서 잠을 많이 자지 않으면 안 되는 사람이 있는가 하면, 남보다 적게 자고도 활기차게 하루를 살 수 있는 사람이 있기 때문입니다. 또한 신경 계통에 이상이 있어서 수면을 충분히 취하지 않으면 신체적으로 이상 증상이 오는 사람이나, 일시적으로 건강이 너무 소진되어 충분히 잠을 자야 하는 사람도 있습니다.

그런데 두 번째 상황에서의 잠의 문제는 다시 두 가지로 나뉩니다. 단지 피로가 누적되어 잠이 오는 것과, 기력이 완전히 소진되어 잠이 오는 경우입니다. 전자의 경우는 잠을 자면 피로가 회복되지만, 후자의 경우는 잠을 자면 잘수록 체력이 가라앉아 몸을 추스르기 힘들어집니다. 따라서 후자의 경우에는 잠을 자는 것으로만 문제를 해결할 것이 아니라 영양분 있는 음식과 약, 적절한 운동 등으로 다방면에서 몸을 보양해야 하는 것입니다.

따라서 수면의 문제에 있어서도 우리는 지혜로워야 합니다. 잠이 온다고 무조건 자는 것이 아니라, 그 수면의 욕구가 단지 피곤해서 생기는 현상인지 좀더 근본적인 대책을 필요로 하는 상태에서 비롯되는 것인지를 판단해야 하는 것입니다.

그렇지만 수면의 문제에 있어 한 가지 분명한 사실이 있습니다. 반드시 수면을 충분히 취해야 하는 몇 가지 특수한 경우에 해당되지 않는 사람은 절대로 잠을 많이 자는 습관을 가져서는 안 된다는 것입니다.

그리스도인의 삶의 원칙은 모든 것을 과하게 하지 않는 것입니다. 잠을 자는 것, 밥을 먹는 것, 여가를 즐기는 것, 휴식을 취하는 것, 이 모든 것들은 그 자체를 즐기기 위한 것이 아니라 재생산을 위한 것이 되어야 합니다.

### 타르데마: 깊은 잠

본문의 말씀은 사람을 잠에 떨어뜨리는 것이 게으름이라고 이야기합니다. 본문을 히브리어 성경에서 직역하면 '게으름이 깊은 잠을 떨어뜨리며, 민첩함이 없는 사람은 굶주릴 것이다' 라는 뜻입니다.

그런데 여기서 '깊은 잠' 은 히브리어로 '타르데마' (תַּרְדֵּמָה)라는 단어로, 하나님께서 하와를 창조하실 때 아담을 깊이 잠들게 하셨다는 기록에도 이 단어가 사용되었습니다(창 2:21). 갈비뼈를 뽑아도 모를 정도였으니 거의 전신 마취를 방불케 하는 깊은 잠이었습니다.

문제는 게으름이 우리에게 가져다 주는 잠도 그렇게 깊은 잠이라는 것입니다. 히브리어 성경은 게으름이 우리에게 잠을 주는 방식에 대해서도 말하고 있습니다. 그것은 바로 떨어뜨리는 것입니다. 일단, 게으름이 인간에게 잠을 떨어뜨리면 그 사람은 잠이 계속하여 느는 것을 경험하게 됩니다. 자도 자도 졸립습니다. 출근하는 시간도 퇴근하는 시간도 수면의 연장입니다. 시간과 장소를 불문하고 기회만 되면 잠이 오는 것입니다.

그런데 우리가 꼭 기억해야 할 것이 하나 있습니다. 바로, 이 잠의 문제에는 인생의 다른 모든 영역들도 그렇듯이 영적인 측면과 육적인 측면이 공존한다는 사실입니다. 따라서 과도한 잠이 문제가 되었을 때, 가장 먼저 필요한 것은 쏟아지는 잠에 대한 예리한 판단입니다. 잠이 쏟아지는 것이 어느 부분까지가 육체적인 문제이고, 어느 부분까지가 영적인 문제인가 하는 것을 정직하게 판단할 수 있어야 합니다. 그래서 육체적인 부분들은 신체의 원리나 자신의 경험, 의사의 판단을 따라 해결해 나가야 하고, 영적인 부분들은 기도로 하나님께 의뢰하여 말씀의 비춰 주심을 따라 해결해 나가야 할 것입니다.

그런데 간혹, 그리스도인들 중에도 이 잠의 문제를 무조건 육체적인 문제로만 생각하는 사람들이 있습니다. 그들은 자신과 하나님 사이의 관계에는 어떤 문제도 없고 그저 몸이 너무 피곤하여 그런 것일 뿐이라고 생각하는데, 이런 사람들은 틀림없이 영적으로 잠들어 있는 사람입니다.

깊은 영성을 갖추지 못한 사람이라 할지라도, 부지런하지 못하고 과도하게 잠을 즐기고 있다면 무언가 가책을 느끼기 마련입니다. 그러나 영적으로 깊이 잠들어 버리면, 그러한 가책조차 없이 자신의 올바르지 않은 방탕한 수면 생활을 어떻게든 합리화시키려 애씁니다. 변명이 많아지는 것입니다.

이런 사람들은 사람들로부터는 동정을 얻을 수 있을지 모르지만, 하나님의 은혜 아래 있을 때 지녔던 영혼의 아름다운 빛깔을 완전히 잃어버리고 말 것입니다.

### 게으름과 잠

게으름이 잠을 떨어뜨린다고 했는데, 이것은 게으름이 아니면 영혼을 고사시키는 방탕한 잠에까지는 빠지지 않기 때문입니다. 그런데 여기서 분명히 짚고 넘어가야 할 것이 있습니다. 바로 게으름 때문에 과도한 잠이라는 문제가 발생한다는 사실입니다. 이것은 게으름의 문제를 해결하지 않고서는, 잠의 문제를 근본적으로 해결할 수 없음을 우리에게 알려줍니다.

게으르지 않게 산다는 것은 단순하게 축 늘어지지 않은 삶을 의미하는 것이 아닙니다. 매일매일 분투하며 살아야만 할 분명하고도 구체적인 목표를 갖고 민첩한 반응과 행동으로 살아가는 것입니다. 이렇게 될 때, 과도한 수면 시간의 문제도 해결할 수 있습니다.

게으름의 문제를 해결하지 않고도 수면 시간을 조절할 수는 있습니다. 그러나 새벽에 일찍 일어나고, 하루 5시간 이상 안 잔다고 하여도 그렇게 부지런히 살아야 하는 분명한 목표가 없다면 덜 자는 일이 무슨 의미가 있겠습니까?

목표를 가지고 있으면 그 목표에서 빗나가는 일을 하느라 시간을 낭비하는 것이 싫습니다. 잠도 마찬가지입니다. 불붙는 인생의 목표를 가진 사람들에게 필요 이상의 잠은 목표에서 벗어난 일입니다. 꼭 완성해야 할 일이 남아 있으면 밤에 잠이 안 옵니다. 아침 일찍 반드시 해야 할 일이 있으면 아침에 일찍 깹니다. 분명한 목표 의식 없이 그냥 기계처럼 시간에 쫓겨서 생활하기 때문에 늘 아침에 일어나는 일이 힘든 것입니다.

## '나는 고3이다'

저는 나태한 마음이 들 때마다 '나는 고3이다' 라고 스스로를 타이릅니다. 고3은 모든 일에 절제하며 살아야 하는 시기입니다. 고3은 여행을 가고 싶어도 '대학 들어가서 하자' 하고 참아야 하고, 이성 친구를 사귀고 싶어도 '대학 들어가서 사귀자' 하고 기다려야 합니다.

우리도 그래야 합니다. 쉬고 싶고, 놀고 싶어도 '천국 가서 하자' 하며 참아야 합니다. 이런 생각이야말로 우리가 이 세상에서 살아갈 때 가져야 하는 종말론적 긴장입니다.

고3이 모든 즐거움을 잠시 뒤로 미루고 오직 공부에만 몰두하듯, 우리도 이 세상 사는 동안 하나님께서 우리에게 맡겨 주신 일들에만 몰두해야 합니다.

매사를 해야 한다니까 할 수 없어서 억지로 하는 것이 아니라, 정말 마음을 쏟아서 열심히 해야 합니다. 세탁소를 한다면 어느 집보다 깨끗하게 세탁해야 하고, 슈퍼마켓을 한다면 어느 집보다 싱싱하게 물건을 준비해 놓아야 합니다. 부동산업을 한다면 어느 집보다 친절하고 정보가 정확하며 양심적이어야 하고, 공장을 한다면 그 공장 물건은 틀림없다는 소리를 들어야 합니다. 공부를 한다면 점수 따기에만 급급한 것이 아니라, 스스로 연구하고 깊이 생각하여 가르친 사람이 눈비비고 다시 쳐다볼 만큼 지적인 성취를 이루어 가야 합니다.

그리고 그렇게 살기 위해서는 보다 중요한 일을 최선을 다해 하기 위해 신경이 다른 일들로 분산되는 것을 막으며 생활하는 고3의 정신이 필요합니다.

## 존 웨슬리의 교훈

기독교 교회 역사의 한 페이지를 찬란하게 장식했던 인물 존 웨슬리(John Wesley)는 1703년에 태어나 1791년에 사망했습니다. 그는 죽기 5일 전까지도 32km 떨어진 곳으로 전도하러 다녔고, 60년 동안 변함없이 새벽 4시에 일어나 기도하고 성경을 보았습니다. 평생 2–4시간 가량의 설교를 4,000편이 넘게 했고, 200권의 책을 저술했으며, 지구를 10바퀴 돌고도 남을 만한 거리를 말을 타고 다니며 전도하였습니다. 그가 그렇게 많은 일들을 하면서 살 수 있었던 것은, 하나님께서 그에게 탁월한 건강을 허락하신 탓도 있지만, 그 자신이 주어진 시간을 효율적으로 잘 사용하였기 때문입니다.

그는 자신의 시간 사용 비결을 묻는 사람들에게 이렇게 대답했습니다. "저는 어떤 사람을 만날 때, 첫 만남에서 그 사람이 다시 만나야 될 사람인가를 결정합니다."

물론 그의 기준은 다른 무엇이 아니라, '그 사람이 하나님의 사람이냐'이었습니다. 하나님의 사람이 아니면 만나서 쓸데없이 시간만 없앤다는 것입니다. 물론 지금의 기준으로는 동의할 수 없는 부분도 있습니다.

그러나 존 웨슬리가 살았던 시대가 연회를 즐기던 사교의 시대임을 감안할 때, 이것은 술과 향락, 사교에서 말미암는 인생의 낭비를 줄이는 최선의 방법이었을 것입니다. 그래서 그는 말했습니다. "그랬기 때문에 나는 내 생애의 많은 시간들을 쓸모 없는 대화와 세속적인 일들에 빠져 낭비하지 않을 수 있었습니다."

## 낭비 없는 인생

우리 모두가 탁월한 건강을 소유했던 존 웨슬리(John Wesley) 같은 삶을 살아야 한다는 말을 하고 싶은 것이 아닙니다. 최소한, 수면 생활의 방탕함으로 인해 인생을 낭비하는 것만은 피하며 살아야 한다는 것입니다.

우리가 게으르게 사는 동안에도 시간은 부지런히 흘러갑니다. 하나님께서는 큰 계획을 가지고 우리를 구원해 주셨습니다. 그런데 우리는 게으름 때문에 우리의 삶을 망치고, 주님께서 우리에게 주신 수많은 기회들을 놓치고, 그 분이 세워 주신 신앙의 자리에서 끝없이 이탈하며 살고 있습니다. 나중에 어떻게 주님을 뵈오려고 그러십니까?

수면의 방탕함으로 인해 낭비되는 시간 중 단 30분만이라도, 간절히 기도하는 일에 투자할 수 있다면 삶의 현장에 놀라운 변화의 역사가 일어날 것입니다. 그러나 우리의 육체는 단 1분이라도 누리던 것들을 빼앗기지 않으려고 저항합니다. 육체로부터 그것을 빼앗는 일을 할 때면 고통이 느껴집니다.

그 때, 우리는 십자가를 생각해야 합니다. '예수님께서도 이 세상에서 나처럼 사셨다. 일어나기 힘든 그 새벽 시간에 몸을 일으키시고, 주무시고 싶은 그 시간에 눈을 비비면서 일어나셨다. 고단한 몸이었지만 영혼 하나라도 더 고쳐 주시고자 늦도록 일하셨고, 그렇게 사시다 결국 십자가에 못박혀 물과 피를 다 흘리고 돌아가셨다' 고 말하면서 게으르고자 하는 우리 자신을 타일러야 합니다.

하나님께서 우리에게 요구하시는 일은 할 수 없는 일이 아닙니다. 하나님께서는 우리에게 주시지 않은 것을 요구하시는 것이 아닙니다. 우리에게 주신 지식과 건강과 물질과 시간과 열정으로 당신을 섬기기를 우리에게 기대하시는 것뿐입니다. 우리가 그것들을 내어놓는 일이 힘든 것은 우리 안에 게으름이 자리잡고 그 자원들을 하나님이 아닌 나의 만족을 위해 쓰자고 유혹하기 때문입니다.

그래서 게으름과 성화는 결단코 양립할 수 없습니다. 게으름은 우리의 육체를 정욕에 흐르게 하고, 우리의 영혼을 죄 가운데 거하게 만듭니다. 우리의 마음속에 세워 주신 하나님의 은혜의 틀들을 허물어 버리고, 하나님을 향한 반항과 저항으로 우리의 마음을 가득 채웁니다. 그러므로 우리는 게으르게 살아서는 안 됩니다. 오히려 안일해지려는 자신과 싸우며 부지런히 살아야 합니다.

## 게으른 자의 굶주림

그런데 성경은 이어서 "해태한 사람은 주릴 것이니라"라고 말합니다. 여기서 '해태함'은 원어의 의미로는 '민첩함이 결핍된 것'입니다. 민첩함은 분명한 목표 의식에서 우러나는 태도입니다. 분명한 목표 의식이 있을 때, 사람들은 그 목표와 관련된 일에 민첩하게 반응합니다.

그러나 게으른 사람은 분명한 목표가 없고 따라서 민첩하지도 못하므로 굶주릴 수밖에 없습니다. 이것은 육신적인 굶주림만을 의미하는 것이 아닙니다. 민첩하지 못한 사람은 영적으로도 굶주릴 수밖에 없습니다.

사랑하는 여러분! 여러분의 영혼은 어떠십니까? 지금 자신의 영혼이 굶주려 있고 지쳐 있다고 생각하신다면, 여러분에게 분명한 목표가 생길 것입니다. 바로 그 영혼이 회복되어 하나님과의 아름다운 교제 관계를 다시 형성하는 것입니다.

목표를 향하여 민첩하게 움직이십시오. 망가진 곳이 있으면 말씀으로 고치고, 힘이 부족하면 성령의 은혜를 간절히 구하십시오. 잘못된 곳이 있으면 수술을 해서라도 부정적인 것들을 도려내고 다시 출발해야 합니다. 예수님께서도 말씀하셨습니다. "또한 만일 네 오른손이 너로 실족케 하거든 찍어 내버리라 네 백체 중 하나가 없어지고 온 몸이 지옥에 던지우지 않는 것이 유익하니라"(마 5:30).

## 분명한 목표가 민첩함을 부른다

머리로만 '그래, 그래야지, 그렇게 살아야지' 해서는 소용없습니다. 알기만 하고 결단하지 않는 사람이 바로 민첩함이 없는 사람입니다. 게으른 사람은 목표를 갖고는 있지만 그것은 살아 있는 목표가 아니라, 허울뿐인 죽은 목표입니다.

구원받은 신자에게는 누구나 분명한 목표가 있습니다. 어떻게든지 주님께서 원하시는 진실한 신자가 되는 것입니다. 그리고 이 목표는 성령의 은혜를 힘입어 자신의 부패한 옛 본성과 부지런히 싸움으로써 가능해집니다. [illegible]는 우리에게 하나님께서 주신 그런 목표에 대한 진지한 사모함이 없기 때문에 그 목표가 우리의 마음에서 점점 흐릿해져 가고 있다는 것입니다. 목표만 분명하다면, 우리는 움직일 것입니다. 몸이 약한 것, 가진 것이 없는 것, 나이가 많은 것들은 모두가 핑계일 뿐입니다. 목표만 분명하다면 우리는 얼마든지 민첩하게 움직일 수 있습니다.

죽을 병에 걸려 있는 사람이라 할지라도, 살아날 수 있는 약을 찾았다는 이야기를 들으면 벌떡 일어나서 그 약을 구하러 달려갈 것입니다. 링거 병을 들고, 주사바늘을 꽂고 가는 한이 있더라도 반드시 갈 것입니다. 민첩함이란 바로 이런 것입니다.

이러한 민첩함이 없는 사람의 영혼은 계속 핍절하고 굶주릴 것입니다. 그러나 민첩함이 있는 사람은 날마다 조금씩 하나님 보시기에 좋은 그리스도인이 되어갈 것입니다. 그의 부지런한 성화의 노력에 함께하시는 성령의 은혜로써…….

거.룩.한. 삶.의. 은.밀.한. 대.적. 게.으.름

# 7

## 즐거운 잠, 방탕한 잠 : 게으름과 잠(II)

"너는 잠자기를 좋아하지 말라
네가 빈궁하게 될까 두려우니라
네 눈을 뜨라 그리하면 양식에 족하리라" (잠 20:13)

## 잠자는 즐거움

게으름은 뚜렷한 실체가 있는 것이 아니라 사람 안에 존재하는 어떤 경향성입니다. 하지만 그것은 인간의 내면에만 있는 것이 아니라 반드시 실제적인 삶을 통해 흘러나옵니다.

그런데 이 게으름은 자기가 좋아서 하는 취미 활동이나 자기의 즐거움을 위한 일들에는 배어들지 않고, 대부분 자신이 마땅히 행하여야 할 의무에 배어듭니다.

즉, 게으른 사람이라고 해서 모든 일에 게으른 것은 아닌 것입니다. 따라서 특정한 어떤 부분만 보고 그의 부지런함을 과신해서는 안 됩니다. 그러나 조금 특별한 영역이 있습니다. 바로 잠입니다. 잠자는 것을 싫어하는 사람은 거의 없습니다. 잠을 적게 자는 것이 즐거운 사람은 거의 없습니다.

그래서 자기 마음 내키는 대로 사는 사람치고 방탕한 수면 생활을 하지 않는 사람이 없습니다. 대체로, 절제하는 수면 생활을 가진 사람치고 게으르게 사는 사람은 드뭅니다.

잠은 쉽고 달콤하고 평화롭습니다. 잠자는 시간이야말로 인간이 가장 편안히 쉬는 시간입니다. 그런데 본문은 잠자기를 좋아하지 말라고 합니다. 그리고 그 이유를 가난해질까봐 두렵기 때문이다라고 말합니다.

사실 본문의 말씀을 히브리어 성경에서 직역하자면 '가난하지 않도록 잠자기를 사랑하지 말라' 입니다.

잠자기를 사랑하는 것은 타락한 인간의 일반적 성품입니다. 병적 현상으로 잠을 안 자거나 못 자는 경우를 제외하면, 모든 인간의 내면의 부패성 속에는 잠자기를 좋아하는 습성이 깃들여 있습니다. 이것은 육적으로나 영적으로나 마찬가지입니다.

본문에서 '사랑하지 말라' 는 잠자기는 생존을 위해 필수적인 분량의 건전한 잠이 아닙니다. 일정한 도를 넘어 방탕한 상태가 되어 버린 잠입니다. 방탕이란 정해진 수준과 정도를 지나쳐, 해로운 결과를 가져오게끔 자의적으로 마구 허비하는 것을 나타냅니다.

필요 이상의 잠을 자는 것은 방탕입니다. 우리는 흔히 동물적인 삶이라는 말을 하는데, 그것은 아무것에도 구애받지 않고 본능을 따라 살아가는 삶입니다. 우리가 자고 싶은 대로 다 잔다면 그것은 동물과 똑같은 삶을 사는 것입니다.

돼지가 자명종 틀어 놓고 자는 것 보셨습니까?

## 성경이 말하는 두 가지 잠

하나님께서 잠자기를 사랑하지 말라고 하신 것은 잠은 우리의 마음과 영혼을 어둡고 둔하게 만드는 요소들을 많이 가지고 있기 때문입니다. 그런데 성경은 잠을 다르게도 이야기합니다. 바로 하나님께서 사랑하는 표시로 내려 주시는 잠입니다.

시편은 "여호와께서 그 사랑하시는 자에게는 잠을 주시는도다"(시 127:2)라고 말씀합니다. 여기서 잠은 하나님께서 당신과의 교제 안에 있는 사람들에게 영육간에 안식을 주시는 방편으로 제공해 주시는 은혜입니다. 그래서 푹 잠들게 되는 것입니다.

그런데 이 구절은 하나님과의 신령한 교제 안에 있는 사람들보다 오히려 잠자기를 좋아하는 게으른 사람들에게 더 많은 사랑을 받습니다. 이 구절을 통해 자신들의 방탕한 수면 생활에서 오는 가책을 위로받고 있는 것입니다. 하지만 이것은 매우 틀린 일이며, 위험한 일입니다. 예배 시간에 습관적으로 졸고는 돌아서서 이 말씀을 통해 평안을 누리는 사람이 있다면 지금 당장 사도행전 20장 9절을 읽어 보십시오. 모든 잠이 하나님께서 사랑하시기 때문에 주시는 것이라면 유두고는 왜 떨어져 죽었겠습니까?

자신을 합리화하기 위해 성경 말씀을 끌어오는 것은 커다란 죄입니다. 그리스도인은 농담 가운데에서도, 하나님과 하나님의 말씀의 위엄을 생각하고 그 앞에서 옷깃을 여밀 수 있어야 합니다.

성경이 잠을 하나님께서 사랑하는 자에게 베푸시는 선물로 이야기하기도 하지만, 대부분의 경우 잠은 죄악의 잠으로 이야기됩니다. 죄악의 잠은 영적으로도 나타나고 육적으로도 나타나는데, 육적으로 나타나는 죄악의 잠의 대표적인 예가 요나입니다. 요나는 니느웨로 가라는 하나님의 명령을 어기고 다시스로 가는 배를 탔습니다. 항해 중 심한 풍랑이 일어났는데, 그 때 요나는 배 밑창에 드러누워서 깰 줄 몰랐습니다. 죄악이 가져다 주는 평안을 만끽하며 죽은 듯이 잠들어 있었기 때문입니다(욘 1:5).

이런 죄악의 잠은 영적으로도 나타나는데, 그 예는 수없이 많습니다. 이사야서에 나오는 하나님의 백성들을 향해 경고하지 않는 선지자의 영적인 잠, 말씀 앞에 깨어나지 않는 이스라엘 백성들의 영혼의 깊은 잠 등이 그것입니다(사 56:10).

## 방탕한 수면이 영적 생활을 망친다

육체의 게으름에서 오는 방탕한 잠은 반드시 우리의 영혼과 마음에 옳지 않은 결과를 가지고 옵니다.

여러분들에게 한 가지 묻겠습니다. 밤에 늦게 잔 것도 아니고 몸이 아픈 것도 아닙니다. 그냥 일어나기 싫어 계속 이불 속에서 나오지 않았습니다. 해가 훤히 떴는데도, 꿈꾸고, 침흘리며 계속 잤습니다. 그렇게 지칠 때까지 자다가 허리도 아프고 소변도 마려워 할 수 없이 일어났습니다. 그 때 여러분은 상쾌한 기분으로 하루를 시작할 수 있으십니까? 푹 잤기 때문에 더 활기차게 살게 되십니까? 그렇지 않을 것입니다. 찬란하게 뜬 태양이 "너 그렇게 살아도 되겠니?"라고 물어보는 것 같고, 몸은 찌뿌드드하고, 생각은 멍할 것입니다. 그 날은 예배당에 나와 기도를 해도 기도 속에 영혼의 힘이 안 실릴 것입니다. 이것이 바로 방탕한 수면 생활이 우리 영혼에 해악을 미치는 증거입니다.

방탕한 수면 생활이 우리 영혼에 해악을 미치는 이유는 앞장에서 살펴보았듯이 그것이 게으름에서 비롯되기 때문입니다. 잊지 마십시오. 게으름과 화목하게 지내는 한 복음과의 화목은 없습니다. 게으름과 화해하고 살아가는 한 참된 영적 생명의 풍성함은 누릴 수 없다는 것입니다.

잠자는 일을 당연한 일로 생각하지 마십시오. 적절한 수준을 넘어서는 잠은 바로 악으로 이어집니다. 따라서 방탕한 수면 생활의 위험을 깊이 자각하고, 생각 없이 살아온 날들을 하나님 앞에 가슴 아파해야 하는 것입니다.

여러분에게 주어진 많은 날들은 하나님을 섬기라고 주신 날들이지, 편히 쉬고 맘껏 자라고 주신 날들이 결코 아닙니다. 한 사람이 하루 1시간씩만 필요 이상으로 수면을 취한다면, 1년이면 365시간이고 10년이면 3,650시간입니다. 그 시간이면 우리가 얼마나 많은 일을 할 수 있는지 모릅니다.

죄란 다른 무엇이 아닙니다. 자기 인생을 자기 것이라고 생각하고 살아가는 것입니다. 이는 왕이신 하나님을 밀치고 자기를 왕으로 세우는 반역이기 때문입니다.

## 방탕한 수면 생활에서 벗어나려면

그러나 과도한 잠이 영혼에 극심한 해악을 미치는 것을 알았다 하더라도,

이것을 쉽게 고칠 수는 없습니다. 방탕한 수면 생활에 익숙해져 온 사람이, 어느 날 아침 갑자기 더 자고 싶은 유혹을 뿌리치고 이불 밖으로 나오는 것은 말처럼 쉬운 일이 아닙니다. 초인적인 노력으로 얼마간 그런 삶을 지속할 수 있을지 모르지만, 이내 지쳐 포기하고 맙니다.

그래서 이렇게 몇 번 시도하다 포기한 사람들이 선택하는 방법은 하나님께 은혜를 구하는 것입니다. 은혜를 받으면 잠이 줄어들 것이라고 생각하는 것입니다.

그러나 은혜를 조금 받는다고 해서 잠이 줄어들지는 않습니다. 은혜받는다고 해서 금방 죄인의 본성이 변하지는 않기 때문입니다. 은혜받아도 방탕하게 자던 기질을 가지고 있는 사람은 자야 됩니다. 결국, 수면 생활은 성화와 관련된 문제인 것입니다.

그런데 이 부분과 관련하여 꼭 말씀드리고 싶은 것이 있습니다. 수면 생활의 문제와 씨름하는 사람들이 흔히 범하는 실수는 잠을 사랑하는 자신을 무조건 뜯어말리며 이 문제를 해결해 보고자 하는 것입니다.

잠을 사랑하는 자신을 고치기 위해서는 잠을 사랑할 수 없는 이유를 분명히 하는 기초 작업이 필요합니다. 그리고 그 기초 작업은 잠보다 하나님을 더 깊이 사랑하는 것입니다.

아이들에게서 좋아하는 장난감을 빼앗는 가장 좋은 방법은 그 아이가 그것보다 더 좋아하는 것으로 유혹하는 것입니다. 그렇게 할 때 아이는 기쁜 마음으로 애지중지하던 장난감을 내려놓습니다.

방탕한 수면 생활의 문제에 있어서도 이것은 마찬가지입니다. 하나님을 향한 사랑으로 불타오르는 사람에게는 잠이 대수가 아닙니다. 잠들 때면,

어서 빨리 날이 밝아 새벽 기도에 가서 하나님을 만나게 되기를 고대하며 눈을 감습니다. 잠이 부족한 것은 괜찮지만, 하나님과 교제하며 보낼 시간이 부족한 것은 원통하여 눈물이 핑 돕니다. 물론 늘 이런 정서로 사는 사람은 거의 없을 것입니다. 그러나 하나님과의 깊은 사랑은 우리에게 이런 정서를 경험하게 해줍니다.

따라서 한 사람이 은혜를 많이 받았는데도 수면 생활의 방탕함이 고쳐지지 않는다면, 그 은혜가 정말로 그 사람의 본성을 변화시키는 성화의 작용을 동반하는 은혜이며 그에게 하나님을 향한 애끓는 사랑을 경험하게 해주는 은혜가 되도록 순종하는 삶을 살고 있는지 물어야 합니다. 하나님을 깊이 사랑하며 날마다 애써 성화의 삶을 걸어가는 사람이라면, 방탕한 수면 생활을 하면서 살 수 없기 때문입니다.

## 하나님의 주인공

잠은 은혜를 받는다고 저절로 줄어드는 것이 아니라, 하나님을 사랑하고 그 분으로 인생의 목표를 수정함으로 인해 자신의 모든 삶이 재편되면서 줄어들어 가는 것입니다.

따라서 은혜를 받았는데도 계속해서 수면 생활이 방탕하다면 그것은 성화의 부족 때문입니다. 아직도 그의 안에 잠을 깊이 사랑하는 죄가 많이 남아 있어 그로 하여금 순전하게 하나님을 사랑하며 그 분이 원하시는 길을 걸어가게 두지 않는 것입니다.

그러므로 이 때에는 잠을 사랑하는 자신과 싸워야 합니다. 잠을 많이 자는 자신을 미워하고, 잠을 많이 자는 것에 대해서 회개해야 합니다. 잠을 많이 자는 자신의 본성을 간파하고 어떨 때 그렇게 많은 잠을 자는지 면밀히 연구하여 스스로 경계해야 합니다.

저녁의 식생활이나 수면 습관도 연구해서, 내가 육체를 어떻게 다룰 때에 수면 생활의 방탕함이 극치에 달하고, 어떨 때 하나님의 은혜가 강화되어 수면 생활이 방탕으로 흐르지 않는지 알아내야 합니다.

방탕한 수면 생활은 우리에게 죽여야 할 대상입니다. 그것은 하나님께서 미워하시는 일이기 때문입니다. 방탕한 수면을 즐기며 게으르게 사는 신자의 삶을 끊임없이 스스로를 경계하며 사는 충성스러운 신자의 삶과 비교해 보십시오.

게으른 신자가 자기의 육체의 요구에 굴복해서 푹 자는 동안 충성스러운 신자는 하나님 사랑하는 마음을 간직하고 자기와 싸우며 기도합니다. 게으른 신자가 고단하다는 이유로 따뜻한 이불 속에 있는 동안 충성스러운 신자들은 피곤한 몸을 이끌고 교회에 나와서 봉사합니다. 게으른 신자가 아무 생각 없이 TV 앞에서 웃고 있을 때, 충성스러운 신자는 말씀을 섭취하고 은혜로 마음을 채웁니다.

이 두 사람을 하나님께서 어떻게 똑같이 대우해 주시겠습니까?

그래서 하나님의 역사에 있어서 전자의 사람은 항상 엑스트라였고, 후자의 사람이 늘 주연 배우였습니다.

## 얼마나 자야 하나?

잠을 좋아하는 사람의 마음은 자기의 육체를 중히 여기는 게으름으로 인해 부패한 틀이 되어 버립니다. 그 틀은 죄가 거하기 좋은 틀입니다. 그래서 하나님의 은혜가 부어져도 보존이 안 되고 금세 사라지고 맙니다. 그럼, 우리가 아예 잠을 자지 말아야 합니까? 그렇지 않습니다. 잠을 자되, 잠에 빠지지 말고 다시 생활할 수 있는 에너지를 재충전시키는 용도로 국한시켜 잠을 자야 합니다.

경험해 보셨다면 아시겠지만, 잠은 방탕하게 내버려 두면 계속 늘어납니다. 그래서 사람으로 하여금 하루 12시간 이상씩 자게 할 수도 있습니다. 가끔, 자기는 8시간 이상씩 안 자면 큰일 난다는 사람을 만나기도 하는데, 어떤 질병이나 체질 때문에 특별히 잠을 많이 자야 하는 사람이 있음은 인정합니다. 그러나 8시간 넘게 자야만 한다고 이야기하는 사람들이 모두 다 건강상 문제 있는 사람들이라고는 생각하지 않습니다. 그들 중 상당수는 방탕한 수면 생활을 내버려 둔 결과, 장시간의 수면이 몸에 배어 그렇게 자지 않으면 당장 몸에 이상을 느끼는 상태로까지 발전한 것입니다.

그리고 설령 정말로 연약한 부분이 있어 그렇게 많이 자지 않으면 도저히 안 되는 경우라 하더라도, 제가 그 입장이라면 잠을 많이 자서 몸을 달래기보다는 생사를 걸고 체질을 바꿔 달라고 하나님 앞에 병 고침의 은혜를 구하겠습니다. 그래야 바울처럼 하나님께서 당신의 섭리 가운데 그렇게 내버려 둘 수밖에 없다고 하신다 하더라도 그것이 하나님의 은혜의 방편이 될 수 있을 것입니다.

어쨌거나 정당한 수면의 기준은 다음날 하루를 영위해 나갈 수 있는 에너지가 충전될 때까지입니다. 거기까지가 올바른 수면 시간입니다. 그 이상은 방탕한 수면에 빠지는 것에 지나지 않는 것입니다. 그것이 얼마 동안의 시간인지는 각자 자신의 건강과 기타 여러 정황들에 따라 결정해야 할 문제입니다.

살다 보면 잠이 안 와서 문제가 될 때도 있습니다. 내일 생활할 것을 생각하면 잠을 자야 하는데, 야속할 정도로 잠이 오지 않습니다. 기도를 해도 잠이 안 오고, 수를 세어 봐도 눈이 말똥말똥합니다. 그럴 때는 가만히 누워서 아무 생각 말고 눈을 감고 쉬십시오. 이렇게만 하여도 수면을 취할 때 충전되는 에너지의 50%가 충전된다고 합니다. 그러나 그것조차 내키지 않는다면, 차라리 오래 고민하지 말고 그 시간을 무엇인가 생산적인 일을 하며 사용하십시오.

## 경건 생활이 짓밟힐 때

우리의 경건 생활은 모두 정규적인 삶의 가장자리에 모여 있습니다. 오후 2시부터 3시까지를 기도 시간으로 정해 놓은 사람은 거의 없다는 것입니다. 사실, 남의 돈 받고 직장 생활하는 사람이 오전 10시부터 12시까지를 기도 시간이라고 정해 놓을 수는 없습니다. 그래서 어쩔 수 없이 경건 생활들은 앞으로 당겨지든가 뒤로 밀리든가 둘 중에 하나입니다. 그런데 두 시간 모두 방탕한 수면 생활에 의해서 짓밟히기 쉬운 시간들입니다. 깨어 있는 신앙의 단호함이 없다면 말입니다.

만약, 여러분의 직장이 아침 6시까지 출근해야 하는 곳이라면 어떨까요? 도저히 그 시간에 못 일어나 결국 사표를 제출하게 될까요? 아마도 그렇지 않을 것입니다. 그것은 정규적인 생활이기에, 자신의 사회 생활 자체를 무너뜨리지 않는 한 거기에 적응하면서 살 수밖에 없기 때문입니다.

즉, 우리는 그렇게 살아야 되면 그렇게 살 수도 있는 사람들인 것입니다. 우리에게는 잠의 폭력적인 횡포를 규제할 수 있는 육체적인 능력이 있습니다. 그리고 성령께서도 도우십니다. 따라서 방탕한 수면 생활에 치여 우리의 경건 생활이 무너지면, 하나님께서는 왜 방탕한 수면 생활을 청산하지 않고 내버려 두었느냐고 우리에게 책임을 물으실 것입니다.

## 아직은 쉴 수 없습니다

방탕한 수면 생활은 시간 사용의 문제만을 야기하는 것이 아닙니다. 방탕한 수면 생활을 가만히 내버려 두면, 그것은 영적인 문제로까지 이어져 영혼으로 하여금 게으른 잠을 자도록 만듭니다. 따라서 신자는 필요 이상의 시간을 잠을 자며 보내서는 안 됩니다. 졸린 잠을 깨치며 새벽 기도에 나와야 하고, 피곤함을 무릅쓰고 하나님의 말씀을 한 자라도 더 배우려고 밤늦도록 불을 밝혀야 합니다.

잠을 절제하며 사는 사람들은 그렇게 사는 것이 쉬워서 그리 사는 것이 아닙니다. 그 사람들의 육체도 마냥 자고 싶은 소원을 품고 있습니다. 죄가 없으신 예수님께서도 잠을 절제하고 게으름을 경계하며 사는 삶이 힘들고 고단하셨는데, 하물며 인간에게 쉬울 리 있겠습니까?

그래서 사도 바울은 말했습니다. "내가 선한 싸움을 싸우고 나의 달려갈 길을 마치고 믿음을 지켰으니 이제 후로는 나를 위하여 의의 면류관이 예비되었으므로 주 곧 의로우신 재판장이 그 날에 내게 주실 것이니 내게만 아니라 주의 나타나심을 사모하는 모든 자에게니라"(딤후 4:7-8).

지금도 많은 사람들이, 새벽에 기도하러 나가셨고 깊은 밤에 하나님을 만나러 산으로 오르셨던 예수님의 뒤를 따라가는 삶을 살고 있습니다.

사랑하는 여러분! 그 길을 따라가는 사람이 되십시오. 이 세상에서의 시간은 금방 지나갑니다. 오래지 않아 우리는 영원한 안식이 있는 주님의 나라로 들어가게 될 것입니다. 그 때는 잠과의 싸움도 필요 없고, 알람시계 맞추며 새벽 기도 시간에 일어나지 못할까봐 긴장해야 할 필요도 없습니다. 방탕한 수면의 요구로 자꾸만 무너지는 자신을 채찍질하여 일으켜 세울 필요도 없습니다. 이 땅에서는 누려 본 적 없는, 달콤한 잠과는 비교도 할 수 없는 참된 안식이 기다리고 있는 것입니다.

하지만 아직은 아닙니다. 지금은 우리들이 깨어 있어야 할 때이고, 허리띠를 동이고 살아야 할 때입니다. 왜냐하면 때가 아직 낮이기 때문입니다.

거.룩.한. 삶.의. 은.밀.한. 대.적.

# 게.으.름

# 8

## 게으름은 열정이 싫다 : 게으름과 선한 일을 향한 반응

"게으른 자는 그 손을 그릇에 넣고도
입으로 올리기를 괴로워하느니라"(잠 19:24)

## 끝까지 하지 않는 것도 게으름

본문 말씀은 우리에게 게으름의 숨겨진 정체 하나를 설명해 줍니다. 그것은 마땅히 행해야 할 선한 것에 대해서 아주 미약하게 반응을 보이는 것입니다. 본문 말씀은 "게으른 자는 그 손을 그릇에 넣고도 입으로 올리기를 괴로워하느니라"라고 말하고 있습니다.

여기에 나온 게으른 자는 아무것도 안 하고 가만히 있었던 사람이 아닙니다. 그는 음식을 섭취해야겠다는 필요를 느꼈고, 그래서 음식이 있는 그릇을 찾아 자기 앞에 두었습니다. 그리고 거기에 손을 집어넣었습니다. 여기까지는 문제가 없습니다. 일반적으로, 사람들이 음식물을 섭취하기 위해서 밟는 통상적인 과정을 다 밟은 것입니다. 하지만 이 사람은 거기까지만 일반적이었습니다. 그 다음 단계인 음식을 입에 집어넣는 일은 힘들어서 하지 않은 것입니다.

게으르다는 것은 선한 일을 함에 있어서 아무 반응도 보이지 않은 채, 아무것도 안 하는 것만 두고 이야기하는 것이 아닙니다. 끝까지 하지 않는 것도 게으른 것입니다. 그래서 저는 이것을 크게 두 가지로 나누어서, 첫째로는 일반적인 우리의 삶에 있어서의 지혜와 관련해서, 두 번째로는 우리의 영적 삶의 지혜와 관련해서 말씀을 풀어 나가려 합니다.

## 필요한 것 이상을 예비하라

그럼 먼저, 일반적인 삶의 지혜의 측면에서 끝까지 하지 않으려 하는 게으름의 문제를 생각해 보겠습니다.

무엇인가 선한 목표를 정했음에도 불구하고 그것을 끝까지 하지 못하고 중간에 그만두는 경우가 있습니다. 즉, 목표가 있고 그 목표까지 도달하기 위해서는 넘치는 열의와 선한 일에 대한 활기찬 반응이 있어야 하는데, 그렇지가 못해서 힘이 들면 바로 돌아서 버린다는 것입니다. 그런데 우리가 추구해야 할 선한 목표는 힘에 넘치도록 그 일에 매진해야만 달성할 수 있는 것이지, 적당히 하는 척만 해서는 이룰 수 있는 일이 아닙니다.

마라톤 선수들은 42.195km를 달립니다. 하지만 어느 마라토너의 고백에 의하면 제정신으로 달리는 구간은 3분의 2까지에 불과하고 그 이후의 거리는 혼미한 상태에서 정신력 하나로 달린다고 합니다. 그런데 그 사람이 한 이야기 중에 참 지혜로운 이야기가 하나 있었습니다. 마라톤을 할 때, 도착지를 42.195km라고 생각한 마라토너는 거의 대부분 중간에서 쓰러지고, 목표 지점을 실제보다 훨씬 멀리 있다고 생각하고 달린 마라토너만이 완주할 수 있다는 것입니다.

즉, 우리들이 무슨 일을 할 때에는 100의 힘이 들어가는 일이라 하더라도 120쯤 필요할 거라고 예상하고, 120 정도의 힘을 장전해서 100이라고 하는 일에 덤벼들어야만 승산이 있다는 것입니다. 100의 힘이 필요한 일이라도 100의 힘만을 가지고 출발한다면, 중간에 어려움을 만나 힘을 예상보다 많이 소진할 경우, 100을 다 쓰고도 그 일을 이루지 못하게 되고 마는 것입니다.

그러므로 사업을 하거나 직장 생활을 할 때에도 필요한 것보다는 훨씬 더 많이 일해야지만 목표에 도달할 수 있다고 생각하고 그 일에 뛰어 들어야 합니다. 그렇게 해야 예상대로 일이 끝났으면 끝난 대로 감사할 수 있고, 어려운 일이 발생해 예상보다 일이 복잡해져도 위기 상황에 원활하게 대처할 수 있기 때문입니다.

남이 100의 힘을 들여서 이룬 일을 자신은 요령과 기술로 50의 차이를 줄여 50 정도로 이룰 수 있을 것이라고 생각하는 사람이 있습니다. 그러나 막상 현실에 뛰어들어 보니 100의 힘을 쓰지 않고는 도저히 될 수 없는 일이었습니다. 그래서 50의 힘을 더 발휘해서 100을 채워 그 일을 이루려고 합니다. 이런 사람은 게으른 사람이 아닙니다. 그러나 50의 힘으로도 될 줄 알았는데 안 되므로, 포기하고 돌아서 버리는 것은 게으른 것입니다.

게으른 사람일수록 포기가 많습니다. 그리고 그렇기 때문에 게으른 사람은 부지런한 사람보다 많이 결심할 수도 있습니다. 하지만 여러 개의 그릇을 가지고 와서 거기에 손을 부지런히 집어넣지만 아무것도 입까지 끌어올리지 못하기에 언제나 배고픕니다.

직장 생활을 하는 사람들이 잊지 말아야 할 원칙 하나가 있습니다. 일에 실패하는 사람은 용서해도, 출퇴근에 있어서 실패하는 사람은 용서할 수 없다는 것입니다. 일에 있어서는 최선을 다해도 실패할 수 있지만, 출퇴근의 문제에 있어서는 최선을 다하면 실패할 수 없습니다. 우리를 고용한 사람에게는 우리의 1분이 모두 돈인데, 출근 시간에는 늦게 오고 퇴근 시간에는 시간이 되기도 전에 몰래 살금살금 퇴근하면서 어떻게 그리스도인으로서 빛 된 삶을 살 수 있겠습니까?

직장에서 하나님을 드러내며 빛 된 존재로 살기 원한다면, 직장에서 요구하는 시간이 8시간이더라도 10시간을 투자할 마음으로 다녀야 합니다. 그래야만 자신의 일도 남보다 완벽히 하면서 남을 돕고 복음까지 전하며 지낼 수 있습니다.

자신이 맡은 모든 일에 성실하고, 자신이 만나는 모든 사람에게 감화를 끼치기 위해서는 남보다 더 부지런해야 하고 더 활기 있어야 합니다. 그리고 이것은 몸과 마음이 필요로 하는 것보다 더 많이 준비되는 데서 비롯됩니다.

## 말씀의 은혜를 받아도 영혼의 변화가 없다?

그런데 우리의 보다 더 깊은 관심은 그런 육적인 생활이 아니라 영적인 생활입니다. 영적 생활에서는 하다가 그만두어 버리는 게으름의 해악이 더욱 냉혹하게 적용됩니다.

이 세상에서는 간혹 눈먼 돈이 찾아오는 수가 있습니다. 슈퍼마켓에서 경품을 타기도 하고, 우연히 산 복권이 당첨되기도 하고, 헐값에 사 놓은 집의 값이 오르기도 합니다. 그러나 영적 생활에서는 눈먼 은혜란 없습니다. 은혜를 사모하지도, 말씀에 귀기울이지도, 게으른 삶을 고치지도 않았는데, 어느 날 복권 당첨되듯 커다란 은혜가 내게만 툭 떨어져 나를 옭아매던 영적 문제들을 한순간에 모두 해결해 주지는 않는다는 것입니다.

그러나 하나님께서는 그렇다고 해서 수수방관하며 구경만 하시지도 않습니다. 하나님께서는 우리와 함께 일하십니다. 그리고 우리가 어떻게든 선한 목표를 좇아 살아 보려고 몸부림칠 때, 우리를 붙드십니다. 하나님께서는 우리를 절대 그냥 내버려 두시지 않으십니다. 택한 사람들이 하나님 없이 살아가는 것을 가만히 보고만 계실 수 없으시기 때문입니다.

여러분이라면, 자녀가 집을 나갔는데 '다 컸는데, 스스로 알아서 하겠지!' 하며 잠을 청할 수 있겠습니까? 집 나간 아들이 어리면 어려서 걱정이고, 아직 귀가하지 않은 딸이 과년했으면 과년해서 걱정일 것입니다. 하나님도 마찬가지입니다. 여러분들이 유혹의 욕심을 따라서 신앙을 잃어버리고 살아가도록 내버려 두지 않으십니다. 꼭 찾으십니다. 당신이 가지고 계신 우리를 향한 생각과 마음, 그 뜻을 보여주심으로 우리를 돌이키시는 것입니다.

그런데 하나님께서 우리에게 당신의 마음을 보이시는 방법은 매우 다양합니다. 그 중 가장 통상적이고 좋은 방법은 말씀을 통해서 알려주시는 것입니다.

그러나 많은 말씀을 듣고 자극을 받으면 무슨 소용이 있습니까? 처음에는 그렇게 사는 듯하다가, 이내 포기하고 말씀을 듣지 않을 때와 똑같은 삶으로 복귀하고 마는데, 영혼과 삶에 변화가 있을 턱이 없습니다.

끝까지 하지 않고 중간에 그만두어 버리는 영적 게으름이 바로 이것입니다. 무엇인가를 깨닫게 해주시면 그것을 붙들고 강하고 힘있게 반응해서 하나님께서 요구하시는 데까지 이르러야 하는데, 그렇게 살지 못하는 것입니다.

## 신령한 것에 대한 집요한 집착

거룩한 삶이란 결단과 결심을 세운다고 되는 것이 아니라, 그 결심과 결단들을 실천적으로 성취해 갈 때 이루어지는 것입니다. 각오의 미사일이 죄의 비행기를 향해 아무리 많이 발사되었어도 명중시킨 것이 없다면 소용이 없는 것입니다. 하나님의 나라는 열매 맺지 못하는 결단을 수없이 한 사람의 나라가 아니라, 결단대로 살아서 열매 맺은 사람들의 나라입니다.

우리는 자주 우리가 받은 은혜를 기억하며 가슴 뿌듯해 하고, 자기 깨어짐의 경험을 대견해 하고, 무언가 거룩한 결심들을 많이 하였던 사실을 자랑스러워합니다. 그러나 하나님께서 보시고자 하는 것은 그런 것들이 아닙니다.

하나님께서 내 영혼의 병든 상태를 부인할 수 없도록 정확하게 가르쳐 주시고 내 인생의 망가진 상태를 알려주셨을 때, 그것을 끝까지 붙들고 씨름하여 "이겼다! 주님의 은혜가 내 안에서 승리했다" 하며 환호하는 모습입니다.

하지만 우리는 너무 연약합니다. 선한 것이라고 하는 것을 알았어도, 그 일을 이행하는 일에 있어서 너무 약합니다. 집요하게 반응하며 끝까지 가야 하는데 그렇지 못합니다. 이런 삶이 어떻게 하나님 앞에 변화된 삶으로 이해될 수 있겠습니까?

우리는 이렇게 살면 안 됩니다. 우리 입장에서는 "제가 수시로 깨어나서 은혜를 받았습니다"라고 말하지만, 하나님 입장에서는 늘 깨워도 늘 다시 잤습니다. 뭔가 해보려고 하다가는 다시 자고, 해보려고 하다가 다시 주저앉았습니다.

그러나 예수님의 삶을 생각해 보십시오. 우리를 성화시켜서 회복시키고자 하시는 우리 안에 있는 하나님의 형상은 예수님의 형상이었습니다. 예수님께서 어떻게 사셨는지 생각해 보십시오. 그 분은 정말 불꽃처럼 사셨습니다. 일찍 죽으시려고 작정이나 하신 듯, 자기를 다 태우시면서 사셨습니다.

하나님의 말씀에 대해서 열렬하게 반응하며, 진리를 헛되이 땅에 떨어뜨리지 않고 몸소 실천하며 사셨습니다. 영혼들을 사랑하시되 배반하는 제자까지도 끝까지 사랑하셨고, 진리를 가르치시되 십자가에 못박혀 죽으시면서까지 가르치셨습니다(요 13:1). 이것이 우리들이 본받고 싶어하는 예수님의 삶이었습니다.

한 사람의 그리스도인이 가지고 있는 하나님을 향한 사랑은 감격하는 것으로 입증되는 것이 아니라 신령한 것에 대한 끈질기고 집요한 집착으로 입증됩니다. 예수님께서 우리를 향해 이런 사랑을 가지고 계셨습니다.

예수님의 그 사랑은 환경을 뛰어넘는 것이었으며, 죽음이라는 칼로도 끊을 수가 없는 것이었습니다. 환난, 핍박, 위험, 기근으로도 끊어지지 않는 정말 질기디 질긴 사랑이었습니다. 결국 그 끈질긴 사랑은 우리를 설복시켰습니다.

### 이기고야 말리라

사랑하는 여러분! 만약에 예수 그리스도께서 우리처럼 쉽게 포기하고 힘들면 돌아서는 사랑으로 우리를 사랑하셨다면 우리는 어찌되었을까요? 아마 아무도 돌보는 사람 없이 광야와 같은 인생의 길에서 유리하며 고통받고 있을 것입니다. 왜냐하면 우리가 끈질긴 타락으로 주님을 고통스럽게 하였기 때문입니다. 따라서 힘들고 지칠지라도 포기하지 말고 집요하게 선한 것을 좇아야 한다는 명제는 부당한 것이 아닙니다. 우리가 그 분으로부터 입은 사랑이 그런 집요한 것이기에, 우리가 그 분을 위해 살아 드려야 할 삶도 집요해야 하는 것입니다.

여러분! 우리 안에 있는 죄와 싸우되 피 흘리기까지 싸우고 끝까지 싸워서, 우리가 이 세상에 존재하는 것만으로도 주님의 마음에 말할 수 없는 기쁨이 되는 그런 참된 신자가 되어 보고 싶지 않습니까?(히 12:4)

이런 끈질긴 열망이야말로 예수님을 만난 많은 사람들의 공통된 정신이었습니다. 우리도 이처럼 넘어지면 일어서고 쓰러지면 기어서라도 우리가 싸워야 하는 싸움을 끝까지 싸웁시다. 그리고 게으르지 맙시다. 게으름에 대하여 지적받고도 그렇게 살지 않는 것은 불순종인 동시에 은혜를 육체의 더러운 것으로 오염시켜 버리는 것입니다.

### 불꽃 같은 삶

우리의 인생에는 영혼의 싫증과 육체의 게으름이 만들어 낸 실패의 합작품들이 이미 많습니다. 더 이상 그렇게 살아서는 안 되는 것입니다.

그리스도인의 삶은 이 세상의 죄와 은혜 사이에 끼여서 지리멸렬하게 실패를 숙명처럼 여기며 살다가 죽는 삶이 아닙니다.

신자의 삶은 사망이나 기쁨이나 고통이나 천사들이나 그 어떤 피조물이라도 끊을 수 없는 그리스도의 사랑을 가지고 충분한 힘을 공급받으면서 늘 자기의 삶의 상황을 제압하며 살아가는 삶입니다.

그래서 저는 쉽게 포기하는 사람을 보면 너무나 안타깝습니다. 조금만 더 힘을 내십시오. 우리는 이길 수 있습니다. 여기서 포기하고 말면, 다음엔 더 빨리 포기하게 될 것입니다. 이기는 사람은 계속 이기며 살고, 포기하는 사람은 계속 포기하며 삽니다.

사랑하는 여러분! 가슴에 불을 품고 사십시오.

하나님께서 한번 깨닫게 하신 진리에 대한 불, 내게 맡기신 거룩한 의무에 대한 불, 그리스도께 대한 사랑의 불을 품고 사십시오. 그리고 온 삶이 그 불에 활활 타오르기를 꿈꾸십시오.

하나님을 위하여 선한 목표를 갖지 못한 채 살아가는 사람들은 얼마나 불쌍한 사람들입니까? 자기를 위해서 십자가를 지고 죽으시기까지 사랑하신 예수님의 사랑을 알고도 그 사랑에 눈물겨워 하며 살아갈 불타는 목표가 없는 사람들은 얼마나 가련한 사람들입니까? 그들의 육체의 힘은 누구를 위한 것이며, 영혼에 주신 은혜는 무엇을 위한 것일까요? 불타는 목표가 없는 사람들의 삶은 살았으나 실상은 죽은 자들의 삶입니다.

이 세상의 누구도 아무 초점 없이 인생을 살아가지는 않습니다. 하지만 모두 같은 초점으로 인생을 사는 것은 아닙니다. 거룩한 일에 대하여 불타는 열의를 가지고 그것을 초점으로 삼아 살아가는 사람들의 삶은 세상을 사랑하는 사람들에게는 쓸모 없어 보이고, 육체의 욕망을 위한 일에 초점을 맞추고 살아가는 사람들의 열렬한 삶은 거룩하게 살아가는 사람들에게 무가치해 보입니다.

아아, 이 세상에는 우리의 치열한 섬김을 기다리는 선한 일이 얼마나 많은지요. 하나님의 영광을 위하여 완수해야 할 사명은 구르는 돌처럼 많고 하나님을 위한 가치 있는 일은 들판에 흩어진 흙덩이만큼이나 허다합니다. 희어져 추수하게 된 밭을 보시며 일꾼을 부르시는 주님의 탄식하시는 음성이 들리지 않습니까?

어두운 세상에서 불꽃처럼 섬기며 사십시오. 일체의 성실함과 부지런함으로…….

거.룩.한. 삶.의. 은.밀.한. 대.적. **게.으.름**

# 9

## 영혼의 싫증과 육체의 게으름이 만날 때 : 게으름과 교만

"게으른 자는 선히 대답하는 사람 일곱보다
자기를 지혜롭게 여기느니라" (잠 26:16)

## 영혼의 싫증

인간의 육체는 게으름에 떨어지기 쉽고, 인간의 영혼은 진리의 말씀에 대한 싫증에 떨어지기 쉽습니다. 저는 얼마 전 이 게으름에 대하여 3개월 가량 매주 설교한 적이 있습니다. 하나님께서 큰 은혜를 주셔서, 정말 많은 사람들이 회개하였습니다.

우리는 게으른 삶과 스스로 그렇게 게으른 삶을 살면서도 그것을 하나님 앞에서 잘못된 것으로 생각하지 않는 자만과 무지까지 회개하였습니다. 그러나 게으름에 대한 말씀들을 계속 보면서, 통회하는 마음을 갖게 된 분들이 있는가 하면, 시간이 지나면서 처음 받은 신선한 충격이 흐릿해진 채 게으름이라는 주제에 대하여 싫증을 느낀 분들도 있었을 것입니다. 인간은 부패한 죄성을 지닌 존재이기 때문입니다.

비만으로 고민하는 사람이 운동과 다이어트에 관한 책을 읽고 도전을 받는 것은 쉬워도 오래된 자신의 식습관을 고치고 몸소 운동하는 것을 습관화하는 일은 쉽지 않듯이 우리도 마찬가지입니다. 게으름에 대한 성경의 교훈을 깨닫고 찔림을 받는 것은 쉽습니다. 그러나 삶을 돌이켜 부지런히 사는 것은 쉽지 않습니다. 왜냐하면 육체가 게으른 습관을 버리는 것도 힘들지만, 그런 삶을 살도록 내적 동기를 제공해 주는 영혼이 그러한 신앙적인 삶에 쉽게 싫증을 내기 때문입니다.

아담과 하와가 에덴 동산에 있었을 때, 죄가 아직 들어오기 전에는, 대체로 영혼의 싫증이 없었고 육체의 게으름도 없었습니다. 그들의 영혼과 마음의 상태는 올곧게 하나님을 향하고 있었고, 영혼과 육체의 모든 기능은 그들이 이 세상에 창조된 본래의 목적에 기여하도록 최선의 상태를 유지하고 있었습니다. 그들에게는 에덴 동산에서의 삶이 조금도 지루하지 않았습니다. 의무를 인식함에 있어서나 인식한 의무를 실천함에 있어서 어떠한 게으름도 없었습니다. 영혼과 육체 사이에 어떤 갈등도 없이 영혼은 언제나 하나님의 요구에 순응하고 있었고, 육체는 영혼의 선한 요구에 복종할 수 있었습니다.

그러나 죄가 들어왔습니다. 육체는 할 수 있는데 영혼이 선한 일을 싫어하기도 하고, 영혼은 원하는데 육체가 반기를 들기도 하는 상황이 되었습니다. 게으름이 바로 영혼의 선한 욕구에 대한 육체의 반역입니다. 따라서 게으름이라는 육체의 반역은 영혼의 싫증 속에서 편안하게 번성하고 정욕으로 우리를 데려갑니다.

이처럼 영혼의 싫증은 하나님과 하나님께 속한 모든 신령한 것들에 대해 싫증을 느끼는 것으로 나타납니다. 이러한 영혼의 싫증은 하나님과의 관계에 대한 권태감입니다. 그리고 이것은 신자 안에 있는 죄의 영향입니다. 하나님께 대한 이러한 권태감은 자기의 의무를 실천함에 있어서 마음과 영혼의 열렬함을 앗아갑니다. 그리고 정당한 의무의 이행에서 멀어지게 하는 유혹에 대한 저항력을 약화시킵니다. 이는 결혼한 사람들이 부부 관계에 권태감을 느끼는 시기가 서로가 이성적인 유혹에 노출되기 쉬운 시기인 것과 같은 이치입니다.

## 고집의 정체

죄는 인간을 교만하게만 만든 것이 아닙니다. 그것은 인간에게 불경건한 고집도 심어 주었습니다. 그런데 불경건한 고집이 센 사람들은 대부분 무지합니다. 합리적이고 경건한 사람은 고집이 셀 필요가 없습니다. 고집 부리지 않아도 논리가 자신을 뒷받침해 주기 때문입니다. 그러나 무지한 사람들은 자신의 주장을 관철시키기 위한 방법이 고집밖에 없습니다. 즉, 불경건한 고집이라는 것은 논리를 팽개친 불신앙적 의지를 이야기하는 것입니다.

고집이 있다는 것과 소신이 있다는 것은 다릅니다. 소신은 자신의 총체적인 사상적 얼개 속에서 나오는 확신이고, 고집은 자기 자신의 비합리적이고 정욕적인 집착에서 나오는 의지입니다.

신념 있는 사람의 행동에는 통일성이 있지만, 고집이 센 사람의 행동에는 통일성이 없습니다. 그래서 고집 센 사람들과 함께 관계를 맺는 것은 매우 힘든 일입니다.

그런데 사실 많은 경우 고집 센 사람 본인도 자신의 그런 성향이 좋지 않은 것임을 알고 있습니다. 하지만 알아도 그들은 고치지 않습니다. 그 고집을 완악함이라고 생각하는 것이 아니라, 자신의 연약함이라고 생각하기 때문입니다. 그러나 이것은 연약함이 아닙니다. 몸에 밴 성품이어서 고치기가 쉽지는 않지만, 자기 자신도 어쩔 수 없는 약점은 아닙니다. 그저, 자신을 꺾고 다스리지 못하는 악함일 뿐입니다.

그래서 부모는 아이들이 어려서부터 불경건한 고집을 부리지 못하도록 교육시켜야 합니다. 자신을 꺾을 줄 아는 아이가 하나님 앞에 바른 사람이 됩니다. 불경건한 고집을 꺾는 것이야말로 그 아이를 하나님의 사람으로 키우는 첩경입니다.

### 게으른 자의 특성:고집

본문 말씀을 기록한 지혜자는 솔로몬 왕입니다. 어느 시대든 왕에게는 옳은 이야기를 간(諫)하는 사람이 있게 마련입니다. 솔로몬은 이스라엘의 왕이었고, 이스라엘에는 이렇게 나서서 옳은 이야기를 하는 사람들이 다른 어느 나라 못지않게 많았습니다. 그러므로 이 지혜자는 옳은 말을 조리 있게 아뢰는 사람들을 만난 경험이 있었을 것이며, 그 말을 따르는 것의 유익도 알고 있었을 것입니다.

그런데 그의 눈에 비친 게으른 사람은 일곱 사람이 하는 조리 있고 이치에 맞는 선한 대답보다 자기 한 사람의 생각을 더 신뢰하는 사람이었습니다. 일곱은 성경에서 완전수입니다. 한 사람의 선한 대답이라면 개인적인 견해이므로 틀릴 수도 있다고 하겠지만, 일곱 사람이 같은 이야기를 했다면 그것은 옳다고 보아야 한다는 것입니다. 하지만 일곱 사람이 한 가지 방향으로 대답해 주어도 게으른 사람은 자기의 주장을 포기하지 않는다는 것입니다.

여기에 우리들이 엿볼 수 있는 게으른 자의 특성이 있습니다. 게으른 자의 특성의 첫째는 고집이라는 것입니다.

## 감화력이 없는 고집

흔히, 고집 센 사람은 강해 보입니다. 그러나 그것은 진정한 의미의 강함이 아닙니다

이 세상은 총과 칼에 의해 정복되는 것 같지만, 사실은 그렇지 않습니다. 창칼이 아무리 밟고 지나가도 정신을 지배하지 못하면 정복한 것이 아닙니다.

일본이 우리의 국권을 빼앗은 적이 있습니다. 그러나 그것은 정복한 것이 아닙니다. 알렉산더가 파죽지세로 아프리카까지 점령한 적이 있습니다. 알렉산더는 더 이상 점령할 곳이 없자 정복할 땅이 없다고 울기까지 했습니다. 그런데 그 마케도니아 제국은 알렉산더가 죽은 후, 네 나라로 쪼개졌습니다. 그리고 후에 변방에서 일어난 로마에 의해 단숨에 함락되어 로마 제

국이 되었습니다. 하지만 로마 역시 마찬가지입니다. 로마는 정치적으로는 마케도니아를 점령하여 제국을 이루었지만, 문화적으로는 마케도니아에 정복되었습니다.

그러므로 세상을 지배하는 힘은 총과 칼이 아닙니다. 세상을 지배하는 진정한 힘은 감화력입니다. 마음이 온유한 사람들은 감화력으로 세상을 지배합니다(마 5:8). 예수님께서는 칼을 들고 설치는 베드로를 말리고, 무기력하게 병사들에게 끌려가셨습니다(마 26:52). 그러나 로마가 그 발달한 병기를 가지고도 지배할 수 없었던 헬레니즘 세계를 예수 그리스도께서는 지배하셨습니다. 오직 거룩한 은혜와 인격적인 감화로써 말입니다.

예수님이 어떤 분이신지 알려지는 그곳에 그 분의 온유하신 모습도 함께 전파되었고, 하나님의 아들이시면서도 우리를 사랑하사 십자가에 못박혀 죽으셨다는 사실의 감화력 때문에 수많은 사람들이 십자가 아래 무릎을 꿇고 예수님께 돌아왔습니다.

그러나 고집 센 사람들에게는 감화력이 없습니다. 그들이 아무리 강하게 자기 주장을 내세우고 큰 소리로 외쳐도 다른 사람을 진심으로 무릎 꿇게 할 수는 없는 것입니다.

## 나쁜 고집, 좋은 고집

그런데 여러분에게 이런 의문이 떠오를지도 모릅니다. '고집이라는 것이 정말 나쁘기만 한 것인가?'

고집은 개개의 행동에서 비롯되는 것이 아니라, 마음 깊이 뿌리 박은 성품입니다.

그리고 문제가 되는 것은 천성적인 고집스러움이 아니라, 거기에 깃들인 죄성입니다. 거룩한 삶에 방해가 되는 것은 천성적으로 부여받은 기질로서의 고집이 아니라, 그것이 죄인의 부패한 본성과 결탁하는 것이며, 그로 말미암아 온 마음과 삶으로 하나님의 뜻을 거스르는 것입니다.

따라서 고집스러운 성품이 은혜에 의하여 거룩해지고 성령에 의해서 다스려지는 일들 없이 나타날 때, 우리의 삶과 영적 생활에는 반드시 문제가 일어납니다. 하지만 성화의 작용을 통해 그 고집스러움 속에서 죄성이 빠져나가고 하나님의 쓰심에 복종되면, 그것은 하나님의 뜻을 이루는 데 유익한 도구가 됩니다. 그러면 어떻게 해야, 고집스러움에서 죄성이 빠져나갈 수 있을까요? 바로 은혜가 들어가면 가능해집니다.

도라지를 손질해 본 적이 있으십니까? 도라지는 껍질을 벗긴 후, 찬물에 한참 담가 놓았다가 요리해야 합니다. 그렇게 해야만 도라지 안에 있는 쓴 물이 다 빠지기 때문입니다. 통 도라지를 냉수에 그대로 집어넣으면 쓴 물이 안 빠집니다. 방망이로 두드리든지 칼로 찢어서 조직을 결결이 해체시킨 후 찬물에 몇 시간 담가 두어야 쓴 물이 빠지는 것입니다.

인간의 고집도 쓴 물을 머금은 도라지와 같습니다. 통 도라지처럼 불경건한 고집이라는 쓴 물을 머금고 있는 사람도, 하나님의 말씀으로 두드리고 복음의 비밀로 결결이 해체시켜서 은혜의 물 속에 오래 담가 두면 비로소 그 쓴 물이 빠져나옵니다. 그리고 그렇게 될 때 그의 고집스러운 성품은 거룩한 삶을 살게 하는 좋은 고집이 됩니다.

## 고집, 깨뜨려짐이 없는 자의 교만

무지한 사람일수록 깨뜨려져 본 적이 없고, 깨뜨려진 적이 없는 사람일수록 고집이 셉니다. 우물 안의 개구리처럼 지적으로나 실천적으로나 편협한 틀 속에 살아서는 깨뜨려질 수 없습니다. 자기 깨어짐이라고 하는 것은 자신이 견지하고 있는 어떤 신념이나 고정된 생각이 더 심오한 진리의 깨달음으로 인해 무너지는 것입니다. 그래서 많이 깨뜨려질수록 지혜로운 사람이 됩니다. 그렇게 깨지면서 이전에 못보던 새 세계를 보기 때문입니다. 그러므로 고집은 깨뜨려짐이 없는 사람의 어리석은 교만입니다.

로이드 존스 목사는 그의 책에서 이런 고백을 하였습니다. 젊은 시절, 고서점에서 우연히 조나단 에드워즈(Jonathan Edwards)의 전집을 손에 넣게 되었는데, 그 책을 읽으며 엄청난 충격을 받았다는 것입니다. 그는 그 책을 읽으며 조나단 에드워즈라는 사람 앞에서 자신이 티끌 같아지는 것을 경험하였다고 했습니다. 그리고 그것을 계기로 청교도들의 신앙에 관심을 갖게 되었고, 후일 20세기 설교자들 중에서 복음에 대한 가장 해박한 이해를 가진 영적 인물이 되었습니다.

이것이 깨뜨려짐입니다. 하지만 고집스러운 사람은 대부분 지적인 면에 있어서도 폐쇄적이라 자기가 알고 있는 것 이상은 더 알려고 하지 않습니다. 고집과 교만의 철갑을 두른 성안에서 그냥 사는 것입니다. 그리고 그 대가는 복음적인 회개와 하나님의 생명으로부터 멀어지는 것입니다. 그렇게 살다가는 얼마 가지 않아 성과 함께 완전히 망하고 맙니다.

그러나 그렇다고 모든 지식을 마구 받아들이라는 것은 아닙니다. 아무 책이나 마구 읽는 것은 위험합니다. 부지런히 거룩한 지식을 섭취하며 실천적으로 성화의 삶을 살아가는 사람들은 그 지식 안에서 자기가 접하는 것들을 정당하게 판단할 수 있는 능력이 있기에 괜찮습니다. 그러나 그렇게 할 수 없는 사람들에게 아무거나 닥치는 대로 읽는 게걸스러운 독서는 그를 혼란스러운 사람으로 만들어 갑니다.

그러므로 먼저 올바른 복음 진리들을 충분히 배워 가며, 그것이 거룩한 지식이 되어 옳고 그른 것을 판별할 수 있게 되도록 힘써야 합니다. 그리고 분명한 복음 진리에 기초하지 않은 신앙의 내용을 결정적인 것으로 받아들이지 말아야 합니다. 그래서 자신이 모르는 더 넓은 복음 진리와 은혜의 세계가 있을 수 있다고 겸손히 인정해야 합니다. 하지만 성경을 통해 입증된 진리들에 대해서는 분명한 확신을 가지고 있어야 합니다.

### 지혜가 깊으면 겸손도 깊다

이처럼 지식의 폭이 좁으면, 깨뜨려짐이 없어서 교만하여지고 고집스러워집니다. 그래서 저는 젊은이들에게 여행을 많이 다니며 세상을 배우라고 말합니다. 여러 나라를 다니면서 다양한 문화와 역사와 사람들을 접하며 생각을 넓히면 교만해질 수 없습니다.

우리는 배우면 배울수록 겸손해집니다. 진정으로 학문의 세계 속으로 깊이 들어가 본 사람은 교만해질 수가 없습니다. 인간의 지성이라는 것이 얼마나 하찮은 것인지 깨닫게 되기 때문입니다. 헤아릴 수 없이 많은 사람들의 지적 헌신 속에서 이루어진 큰 바다와 같은 인류의 지성사 앞에서, 나 한 사람의 지적 용량은 겨우 한 바가지의 물만큼일 뿐임을 깨닫게 됩니다. 그리고 겸손해집니다.

저는 여러분들에게 하나님의 말씀을 전하고 가르치라고 부름받은 사람입니다. 그러나 그럼에도 불구하고 저를 가장 가슴 아프게 하는 기도 제목은 진리에 대한 저의 무지함입니다.

우리에게 진리의 빛을 많이 주셨지만, 아직도 진리에 대한 지적 어두움이 더 많이 남아 있습니다. 그리고 이러한 어두움은 우리의 게으름 속에서 장막을 칩니다.

그래서 본문은 이러한 무지와 고집이 게으른 사람에게서 발견된다고 말합니다. 이 사람은 7명이 옳다고 이야기하는데도 불구하고 그것을 인정하지 않고 자기를 훨씬 지혜롭다고 생각합니다. 그러나 실상은 자신만 느끼지 못할 뿐, 무지하기 그지없는 사람인 것입니다. 정말로 지혜로운 사람은 그렇게 하지 않습니다.

지혜와 늘 짝을 이루면서 성경에 등장하는 단어는 충성입니다. 그리고 이것과 상치(相馳)되어 나오는 것이 게으름과 악입니다. 즉, 지혜는 열심을 품고 부지런하게 산 사람에게 주어집니다.

세상적으로도 어느 한 가지를 정말로 잘 해내겠다는 열정과 부지런함이 있을 때, 그 일에 대해 유능해지고 더 잘 할 수 있는 방법들을 터득하게 됩니다.

여러분이 복음의 비밀과 하나님의 은혜의 세계에 대해서 무지하다고 생각한다면, 자신에게 은혜 속에서 살려는 진지하고 부지런한 구도(求道)의

몸부림이 있었는지 점검해 보십시오. 은혜를 구하고 그것을 따라 살려는 지속적인 부지런함이 하나님의 광활한 복음 세계의 이치들을 깨닫게 합니다.

그리스도인의 거룩한 삶은 단지 일회적인 구원의 경험 하나만으로 저절로 살아갈 수 있는 것이 아닙니다. 안으로는 여전히 남아 있는 부패한 본성과 싸우고 밖으로는 유혹과 시험을 대항하여 이김으로써만 성취될 수 있는 것입니다.

그리고 신자가 그러한 삶을 사는 데 결정적인 도움을 주는 것은 복음의 비밀을 아는 것입니다. 쉽게 말하면 복음 안에 담겨진 복음 교리의 비밀들을 아는 것이 우리로 하여금 거룩한 사람이 되어 가게 하고 거룩한 삶으로 세상을 이기게 한다는 것입니다.

그러나 그토록 소중한 복음 교리를 아는 지식은 게으른 삶을 통해서는 결코 획득될 수 없습니다. 그가 비록 성경 내용에 통달한 사람이라고 할지라도 말입니다.

그것은 오직 진리를 통하여 역사하시는 성령의 은혜와 자신을 향한 거룩한 부르심에 신명을 바쳐 응답하며 치열하게 살아온 사람들의 바쳐진 마음 속에 새겨지는 진주와 같은 보석입니다. 살을 찢는 통증 속에서 아파하던 병든 조가비 안에 진주가 영글어 맺히듯이 그렇게 하나님의 뜻을 따라 온 마음을 바쳐 치열하게 살아온 신자의 마음에 복음의 비밀들이 깨달아집니다. 그리고 그 보석 같은 복음의 교리의 비밀들을 통하여 획득할 수 있는 거룩한 인격과 삶의 가치는 게으름의 유혹을 뿌리치고 살아온 고통에 비교될 수 없으리만치 탁월한 것입니다.

## 주님을 향한 최고의 예물

게으름은 우리에게 어리석음을 가져다 줍니다. 무지와 교만으로 우리의 눈을 어둡게 합니다. 하지만 부지런함은 우리를 지혜롭게 하고 겸손하게 만듭니다.

따라서 우리는 게으르고자 하는 자신의 육체와 싸워야 합니다. 우리는 영혼의 싫증과 더불어 다투고, 육체의 게으름과 싸워야 합니다. 스스로를 강하게 붙들어 게으름에 빠져 악한 고집만 남은 사람이 되지 않도록, 주님 앞에 가는 그 날까지 우리 자신을 다그쳐야 합니다.

우리가 땀 흘리다 가야지만, 예수님께서 "정말 수고했구나. 네가 어떻게 살았는지 내가 다 봤다" 하시며 우리의 땀을 닦아 주실 것 아닙니까?

주님을 위하여 거룩한 삶을 살아가며 흘린 눈물이 있어야만 주님께서 우리 눈에서 그 눈물을 씻어 주실 것 아닙니까?(계 21:4)

그 분이 원하시는 자리에서, 그 분의 뜻을 좇아 부지런히 사는 것보다 더 귀한 예물은 없습니다. 그렇게 함으로써 불경건한 고집을 버리고 지혜로운 삶을 살 수 있기에…….

거.룩.한. 삶.의. 은.밀.한. 대.적.

# 게.으.름

# 10

## 그 기도에 울었습니다: 게으른 자에 대한 하나님의 고통

"게으른 자는 그 부리는 사람에게
마치 이에 초 같고 눈에 연기 같으니라" (잠 10:26)

## 그 기도에 울었습니다

10여 년 전의 일입니다. 저는 어떤 기독교 잡지를 읽다가 그만 울고 말았습니다. 노동 운동을 하다가 하나님 만나고 전도자가 된 사람의 기사였는데, 인터뷰에서 그가 한 말이 저의 가슴에 못처럼 박혔기 때문입니다. 불법 파업을 주도했다는 이유로 감옥까지 갔다 온 그 사람은 그 후 예수님을 영접하고 열심 있는 신자가 되었습니다. 그리고 매일 전철에서 예수님의 복음을 전하는 전도자가 되었습니다. 인터뷰를 끝내며, 희망 사항을 묻는 기자의 마지막 질문에 그는 다음과 같은 기도로 대답했습니다.

"하나님, 저는 이렇게 배운 것도 없고 갖춘 것도 없어서 더 크게 주님의 일을 할 수 없어요. 그래서 언감생심 하나님께서 저를 크게 써 주시도록 기도도 못합니다. 그렇지만 하나님! 혹시, 하나님께서 귀한 사명을 맡겨 주신 사람 가운데 게을러서 그 일을 제대로 안 하며 주님 마음을 아프게 하는 사람이 있다면, 게으른 그 사람 굳이 쓰지 마시고 저를 대신 그 자리에 보내 주세요. 잘하는 것은 없지만 정말로 열심히 주의 일 하겠습니다."

그 기도를 읽으면서 사명감도 없이 감사도 없이 냉랭하게 하루하루 살아가는 우리의 삶이 너무 초라하게 느껴졌습니다.

하나님께서 그 사람의 기도에 즉각적으로 응답해 주시지 않았기에 우리 같은 사람이 이렇게 남아 있지, 만약 하나님께서 바로 응답해 주셨다면 우리는 지금 이 자리에 서 있지 못할 것입니다.

## 분발하지 않는 게으름

본문은 게으른 자를 그림같이 생생한 비유로 설명하고 있습니다. 특정한 사람이 등장하는 것은 아니지만 이 말씀을 기록한 지혜자의 머리 속에는 본문이 말하는 게으른 자의 이미지가 분명하게 그려져 있었습니다.

그는 일을 하기는 하는데, 아주 게으르게 일하는 종이었습니다. 일을 함에 있어 전혀 분발하지 않았고, 따라서 그 일을 잘 감당하지도 못했습니다. 그래서 그 사람을 고용한 사람의 마음에 극심한 고통과 불편을 안겨 주었습니다. 그 게으른 자로 인해 부리는 자가 느끼는 고통을 지혜자는 이에 초, 눈에 연기로 형상화합니다. 이것은 치명적인 고통은 아니지만, 견딜 수 없는 불쾌함을 동반하는 괴로움입니다. 게으른 자는 그러한 고통을 그를 부리는 자에게 안겨 줍니다.

그런데 일을 안 하려고 하는 것만 게으름이 아니라, 일을 하겠다고는 하는데 애정을 품고 그 일을 위해서 분발하지 않는 것도 게으름입니다. 사실 아예 일을 안 하겠다고 선언하고 게으름 부리는 사람들은 소수입니다. 그것보다 더 빈번하게 발견되는 게으름은 어떻게든 그 일을 잘 완성해야겠다는 열정을 품고 분발하지 않는 것입니다.

어떤 사람들은 한 가지 일을 오래 하였다는 사실을 매우 자랑스럽게 생각하기도 합니다. 그래서 간혹 자신이 10년째 주일학교 교사를 하고 있다거나, 5년째 하루도 빠짐없이 교회에서 반주를 하고 있다고 자랑스럽게 이야기하는 사람을 만나기도 합니다. 한 가지 일을 오래도록 꾸준히 한다는 것도 아름다운 일임에는 틀림없습니다. 그러나 섬김의 문제에 있어서는 그것보다 더 중요한 가치가 하나 있습니다. 바로 그 일을 위해 얼마나 마음을 써서 분발하였느냐 하는 것입니다.

하나님께서 우리에게 일을 맡기실 때는 단지 그것을 오래 감당하라고 맡기시는 것이 아닙니다. 그 일을 충성되게 하여 좋은 열매를 맺어 가라고 맡기십니다. 그런데 아무리 한 가지 일을 오래 감당했다 하더라도 그것을 수행해 온 방식이 파업을 앞둔 노동자들의 태업(怠業)과 같은 것이었다면, 그가 그 일을 감당한 기간이 오래되었다는 것은 부끄러움일 뿐입니다.

우리는 직업에 있어서도 이러한 원리를 배웁니다. 한 가지 직업을 얼마나 오랫동안 해 왔느냐보다 더 중요한 것은 그 일을 얼마나 분발하여 해 왔느냐입니다. 그저 일을 견디고 있는 사람과 그 일에 적극적인 열정을 가지고 잘 해내려고 애쓰는 사람의 차이는 엄청납니다. 한 사람은 주어진 일만 기계적으로 겨우겨우 해 나가는 사람이고, 다른 한 사람은 그 일과 함께 발전해 나가는 사람입니다. 따라서 우리는 하나님 앞에서 거룩한 삶을 살아가기 위해, 마땅히 해야 할 일에 대하여 열정적으로 분발하는 사람이 되어야 합니다.

### 부리는 자의 마음

사람을 부리는 자의 입장에서 생각해 보십시오. 기업체를 하고 있는 사람의 가장 큰 자산은 땅이나 돈이 아니라 사람입니다. 그리스도인들이 사업을 할 때, 그 사업의 성공은 첫째 그 기업가의 신앙에, 둘째 그와 함께 일하는 사람들의 일에 대한 태도에 달려 있습니다. 따라서 기업가에게는 사람을 귀하게 생각하고 그 사람을 최고의 자산으로 생각하는 마음가짐이 필요합니다. 그런 마음가짐을 가질 때, 그 사람의 경영이 인간을 중심으로 하는 경영이 되고, 그의 아래서 일하는 사람들이 그 직장을 통해 자아가 실현되는 보람을 느끼는 것입니다. 그리고 그렇게 할 때 비로소 그 사업을 위해 일하는 일꾼들에게 그 일에 대한 성실함과 충성스러움을 기대할 수 있는 것입니다.

따라서 부리는 자가 누구인가 하는 문제는 정말 중요합니다. 그래서 우리나라가 바르게 되기 위해서는 큰 기업을 경영하는 기업가와 나라를 경영하는 정치가가 성직자 의식을 가져야 합니다.

정치 권력 자체가 부패한 속성을 지니고 있습니다. 그래서 집권자가 바뀔 때마다 늘 앞사람을 욕하고 들어가 똑같은 사람이 되어서 나오는 현상이 반복되는 것입니다. 종교 개혁자 마르틴 루터(Martin Luther)도 이러한 사실을 지적한 바 있습니다. 마찬가지로 많은 돈도 사람을 부패하게 만드는 속성을 가지고 있습니다. 돈이라고 하는 것 자체가 사람을 일정한 원칙 없이 뜬구름같이 살게 만드는 마력을 가지고 있기 때문입니다. 그래서 인간적으로 생각하자면 그렇게 하면 안 된다는 것을 아는데도 불구하고, 돈 때문에 혹은 쉬운 경영을 위해 그 도리를 저버리기도 합니다. 따라서 이런 두 종류의 사람들에게는 사회적 책임감과 자신을 절제하는 성직자적인 도덕 의식이 필요합니다.

그런데 여기서 제가 정말 드리고 싶은 말씀은 사람을 부리는 자들의 도덕성 문제가 아니라, 그들이 일을 시키기 위해 필요한 사람을 고용할 때의 문제입니다. 여러분들이 다른 사람을 채용하는 입장에 있다면 어떠한 사람을 선택하겠습니까? 머리도 좋고, 능력도 있으며, 정직하고, 순발력 있고, 교양과 외모까지 갖춘, 신앙 좋은 사람이라면 더할 나위 없을 것입니다. 그러나 그런 완벽한 사람을 구하는 것은 쉽지 않습니다. 설령 구한다 해도 그런 사람에게 걸맞는 월급을 줄 능력이 회사에 없을 수도 있습니다.

그래서 모든 것을 다 갖춘 사람을 고용할 수 없을 때, 우리는 보다 중요한 가치를 몇 개만 선별하여 그것을 갖춘 사람을 고용하게 됩니다. 그런데 이때 그 고용 가치에 꼭 들어가는 항목이 하나 있습니다. 바로 게으른 사람이어서는 안 된다는 사실입니다.

게으른 사람은 그 자체로 악의 온상이 됩니다. 잠언은 게으른 사람을 정직하지 않은 사람으로 이야기합니다(잠 15:19). 그러므로 게으른 사람에게는 늘 부정의 소지가 있습니다. 더구나 게으른 사람은 잡담을 좋아하기 때문에 중요한 정보를 누설할 위험이 있습니다(잠 20:19).

하지만 무엇보다 게으른 사람을 피해야만 하는 이유는 그가 분발하지 않는 사람이기 때문입니다. 그를 믿고 있다가는 사업의 중요한 기회들을 놓쳐버릴 가능성이 있습니다. 그리고 함께 일하는 사람에게 피해를 줄 뿐 아니라, 함께 일하는 사람에게 고통이 됩니다.

### 이에 초, 눈에 연기

성경은 게으른 사람이 부리는 자에게 주는 고통을 이에 초, 눈에 연기로 묘사합니다.

사과 중에 국광이라는 품종이 있었습니다. 지금은 재배하는 사람이 없다고 합니다. 신맛을 특징으로 하는 사과인데, 깨물면 신물이 이 사이를 타고 흐르며 사람을 몸서리치게 만듭니다. 그것이 신선한 사과의 과즙과 함께 아주 잠시 느껴지는 신맛이기에 먹는 사람이 즐길 수 있는 것이지, 그 느낌이 끝없이 계속된다면 오히려 고통일 것입니다. 그런데 이것이 게으른 사람을 고용한 고용주의 마음입니다. 신맛이 계속 이에 머무는 듯한 고통의 마음인 것입니다.

동남아 지역에 있는 선교사로부터 들은 이야기입니다. 교회에 화장실이 없어서 재래식 화장실을 만들었는데, 한국에서라면 두 사람이 이틀이면 끝낼 일을 그곳에서는 네 사람이 일주일을 하더랍니다. 느린 동작으로 천천히 삽질을 하는데, 옆에서 그들이 일하는 것을 보고 있으면 마음이 답답하고 속이 부글부글 끓는 듯해 아예 일하는 모습을 보지 않았다고 합니다.

비슷한 이야기를 그 지역에서 사업하는 사람으로부터도 들었습니다. 업무를 돕고 있던 현지인 젊은이가 성실하게 일을 잘해서 보너스로 한달 월급을 더 주었더니, 그 다음날부터 소식도 없이 일주일간 나오지 않더랍니다. 일주일 후 아무렇지도 않은 얼굴로 출근한 그에게 왜 결근하였는지 물었더니, 그는 생각지 않게 생긴 그 공돈을 쓰느라고 못 나왔다고 태연하게 이야기하더랍니다.

그런 사람들을 부리는 것이 부리는 자에게는 고문입니다. 그래서 사회가 발전하려면, 부당하게 해고당하는 사람도 없어야겠지만 그 회사에 기여하지 못하는 사람도 책상을 비워 주고 나와야 합니다.

더구나 그리스도인이라면 반드시 회사에서 꼭 필요한 사람이 되어야 합니다. 부리는 자가 볼 때, 그가 신맛을 내는 이의 초 같고 눈을 못 뜨게 만드는 눈의 연기와 같다면, 그것은 하나님의 이름에 먹칠하는 것입니다.

## 부지런함의 꽃, 열정

우리가 그리스도인임이 단지 직장에서 신우회를 만들고 주일이면 교회 가는 것으로만 확인 되어서는 안 됩니다. 우리는 삶으로써 하나님의 자녀임을 입증해야 합니다.

그리고 그러기 위해서는 우선 부지런해야 합니다. 부지런한 사람이어야 그에게서 열정을 기대할 수 있습니다. 마지못해서 움직이는 게으른 사람에게 어떻게 열정을 기대할 수 있겠습니까?

신발을 만드는 회사에서 실제로 있었던 일입니다. 아프리카에 진출하는 사업 아이디어를 놓고 고심하다가 2명의 사람을 아프리카로 보냈습니다. 그들에게 아프리카의 시장성을 타진해 보라고 한 것입니다. 얼마 후 그들은 돌아와 판이하게 다른 보고서를 제출했습니다. 한 사람은 "아프리카 사람들은 신발을 신지 않고 다니므로 신발을 만들어도 사지 않을 것입니다"라고 의견을 냈고, 다른 한 사람은 "아무도 신발을 신은 사람이 없습니다. 시장성이 무궁무진합니다"라는 의견을 내었습니다.

이 두 사람의 차이는 열정에 있습니다. 후자의 사람에게는 아프리카 사람 하나하나를 쫓아다니며 신발 없이 걸으면 발이 얼마나 아픈지 알려주고 신발 신고 다니도록 만들 열정이 있었지만, 전자의 사람에게는 그런 수고를 할 마음이 없었습니다.

여호수아와 갈렙은 기골이 장대한 가나안 원주민을 보면서 "우리의 밥이다. 우리는 하나님께서 행하신 놀라운 일을 보게 될 것이다. 왜냐하면 하나님께서 우리와 함께하시고 저들은 버리셨기 때문이다"라고 말했습니다(민 14:9). 하지만 다른 정탐꾼들은 "그들은 신장이 장대하나 우리는 메뚜기와 같다. 그들이 우리보다 강하니 우리는 그들을 이길 수 없다"라고 말했습니다(민 13:33). 여호수아와 갈렙에게는 하나님을 향한 믿음과 싸우려는 열정이 있었지만, 다른 정탐꾼들에게는 믿음도 열정도 없었기 때문입니다.

그런데 이 열정은 게으른 사람에게는 결코 생기지 않습니다. 열정적으로 일한다는 것은 편안히 쉬고 싶다는 게으른 자의 자기 사랑과 상치되는 일이기 때문입니다.

## 사랑하기에 기다리시는 하나님

마음에 담으면 담을수록 마치 식초를 입에 머금은 듯 찡그리게 하고, 바라보면 볼수록 눈을 아리게 하는 연기처럼 견디기 힘들게 만드는 사람이 옆에서 시중들고 있다면 여러분의 마음은 어떻겠습니까? 그에게 좋은 보수를 주고, 특별히 사랑해 주고, 중요한 직책을 맡길 수 있겠습니까?

하나님께서도 그렇게 하지 않으십니다. 따라서 게으른 사람들은 생수와 같은 기도의 세계를 가질 수 없고, 하나님과의 기쁨에 찬 관계를 누릴 수 없습니다. 하나님과의 실제적인 연합 속에서 살 수 없기 때문에 하나님으로부터 오는 능력을 공급받을 수도 없을 것입니다. 그러므로 충성스럽고 지혜롭게 섬길 수 없습니다.

우리 하나님께서는 성격이 괴팍하고 자기밖에 모르는 신경질적인 고용주가 아니십니다. 그래서 일단 세워 놓으시면, 우리가 충성되고 성실하게 섬기지 않더라도 긍휼을 베푸시며 충성되이 섬기기를 기다리십니다. 우리를 사랑하시기 때문입니다.

하나님께서는 당신의 사랑하는 자녀들이 사명을 맡았다가, 자신의 신앙까지 망쳐 버리며 도중하차하는 것을 가슴 아파하십니다. 그래서 게으른 사람에게도 다시 한번 기회를 주십니다. 언젠가는 그가 게으르게 섬기면서 하나님의 마음을 아프게 한 것을 회개하고, 처음 사랑을 회복하여 하나님의 마음을 시원하게 하는 때가 있을 것이라는 사실을 하나님께서는 알고 계시기 때문입니다.

## 열정이 없는데도 섬김을 놓지 못하는 이유

그런데 열정을 품고 하나님의 일을 해야만 함을 잘 알고 있지만, 내 안에 열정이 없음을 아는데도 섬김을 내려놓을 수 없을 때가 있습니다. 여기에는 여러 가지 이유가 있을 것입니다. 섬김을 내려놓자니 그 동안의 섬김이 너무나 후회스러워 좀더 열심을 품어 과거의 실수를 만회하고 싶어서일 수도 있을 것이며, 이나마도 하지 않으면 신앙이 바닥까지 떨어질 것 같아 두려워서일 수도 있을 것입니다. 그리고 어쩌면 자신의 이름 앞에 붙는 직함이 필요해서일지도 모릅니다.

그러나 사정이 어떻건 일을 맡았으면 그것을 그냥 붙들고만 있으면 안 됩니다. 그렇게 하는 것은 하나님께 계속 고통을 드리는 일입니다. 하나님 앞에 무엇인가 사명을 맡았으면, 마치 그것보다 더 중요한 일은 없는 것처럼 살아가는 열렬한 태도가 필요합니다. 하나님께서 맡겨 주신 사명을 소중하게 생각하고, 그것을 감당하기 위해서 그것을 중심으로 자신의 생활을 재편해야 하는 것입니다. 시간이 없으면 다른 일을 포기하고, 집이 멀면 이사를 하고, 돈이 필요하면 조달해야 합니다.

우리에게는 일을 하기에 앞서 '주님께서 만약에 내 자리에 계셨더라면 어떻게 하셨을까?' 하고 생각하는 일들이 필요합니다. 그리고 매 순간 자신이 그 일을 위해 움직이는 동기가 무엇인지, 자신이 올바른 동기로 움직이고 있는지 점검해야 합니다. 예수님께서 그 자리에 계셨더라면 가지셨을 태도와 방식으로 살아야 합니다.

## 종으로 인정받는 것, 종으로 취급받는 것

우리가 하나님 앞에서 분발하는 열심을 가지고 충성스럽고 부지런하게 살지 않는 것은 자신의 위치를 망각하였기 때문입니다. 우리는 하나님의 종입니다. 신분에 있어서는 아들이지만 섬김에 있어서는 그 분께 순종하며 일하는 종입니다. 하나님의 아들이신 예수님께서도 이 세상에 오셔서는 하나님의 아들이신 신분을 누리지 않으시고, 종처럼 사셨습니다.

예수 그리스도께서는 이 땅에서 화려하고 주목받는 일들을 하신 것이 아닙니다. 오히려 힘들고 고통스러운 일들을 하셨습니다. 사람들의 칭송과 우러름보다는 비난과 손가락질을 더 많이 당하셨습니다. 그 분의 하신 일은 당시의 시선으로 볼 때 결코 고상한 일이 아니었습니다. 세리와 창기에게 인생의 도리를 가르치시고, 병자와 가난한 자를 찾아다니신 것이었습니다.

예수님께서는 말씀하셨습니다. "인자의 온 것은 섬김을 받으려 함이 아니라 도리어 섬기려 하고 자기 목숨을 많은 사람의 대속물로 주려 함이니라"(막 10:45). 이것이 바로 이 땅에서 주님께서 맡겨 주신 섬김을 감당할 때 필요한 자세입니다. 예수님께서는 삶으로 섬김을 가르쳐 주셨습니다.

지도자에게 마음을 다하여 성실하게 섬기는 조력자가 얼마나 고맙고 소중한 존재인지, 겪어 보지 않은 사람은 상상하지 못할 것입니다.

예전에 제가 전도사로 섬기던 교회의 담임 목사님께서는 오래 전 같이 일했던 부교역자의 이야기를 자주 하셨습니다. 그 부교역자는 어려웠던 시절 목사님을 도와 충성을 다해 섬겼던 사람으로, 목사님께서는 대화 가운데 그를 떠올릴 때마다 늘 "그의 고마운 섬김을 잊을 수 없다"고 말씀하셨습니다. 아마도 충성된 종을 향한 하나님의 마음이 그럴 것입니다.

그러나 우리 중에 그렇게 충성하는 사람은 너무나 소수입니다. 하나님께 일을 맡겨 달라고 하는 사람은 많습니다. 자기가 좋아하는 일을 열심히 하는 사람도 많습니다. 그러나 종 같은 헌신으로 그 분을 섬기는 사람은 그리 많지 않습니다. '하나님의 종' 이라고 불러 주는 것은 좋아해도 종처럼 취급받는 것은 견디지 못해 합니다. 우리는 섬김의 동기가 종으로서 섬기겠다는 것이 아니라, 그 자리를 누리겠다고 하는 것이 아닌지 잘 생각해 보아야 합니다. 섬김의 동기가 그 자리를 누리겠다는 것인 사람들은 '당신은 정말 하나님의 종이십니다' 라고 인정하면 기뻐하지만 종처럼 취급하면 불쾌해 하는 이중성을 갖습니다. 자기를 드러내고자 하는 의식이 강한 사람에게서는 종 같은 헌신이 나올 수 없습니다. 진실로 충성된 섬김은 나는 그 자리에서 흐려지고 하나님께서 그 자리에서 빛나시는 것입니다.

### 이 모습 이대로 할 수 있는 일, 부지런함

어떤 때는 비감한 생각이 들어 잠을 이룰 수 없을 때가 있습니다. '나는 왜 이것밖에 안 될까? 많은 영혼들을 돌봐야 하는데, 이렇게 지혜롭지 못하여 어떻게 할까?' 하면서 저도 모르게 낙심이 될 때가 있습니다.

저에게는 다른 사람을 사로잡는 출중한 카리스마나 고매한 인격이 없습니다. 제가 아는 지식은 다른 이들의 깊고 넓은 지식의 세계에 비하면 지푸라기 같기만 합니다. 저 같은 사람의 설교를 듣고도 사람들이 변화되는 것을 보면 정말 하나님의 기적이란 생각이 듭니다. 그래서 저는 어떻게든 좀 더 지혜롭게 살아 보고자 하는데 단숨에 극복이 되지 않습니다.

하지만 그런 고민을 하다 보면 늘 같은 결론이 납니다. 지금 이대로의 모습으로도 할 수 있는 일이 있으니, 하나님께서 붙들어 주시기를 간구하며 그 분을 온전히 의지하고 게으르지 않게 부지런히 섬기는 것입니다.

우리가 모든 일을 능수능란하게 할 수는 없습니다. 하나님께서는 우리에게 완벽하게 해낼 것을 요구하시는 것이 아닙니다. 게으르지 않을 것을 요구하실 뿐입니다. 자신이 할 수 없는 일을 못하는 것은 영적인 생활에 부패를 가져오지는 않습니다. 문제는 할 수 있는데 안 하는 것입니다. 그것은 마음을 부패하게 만들고, 영혼의 생명을 쇠퇴하게 하고 정욕으로 가득 차게 합니다. 그래서 아무리 힘들어도 이 한 가지 생각은 붙들어야 합니다. '모자라고 부족하여 실패할 수는 있어도, 게을러서 넘어지지는 않으리라.'

'내가 은혜받고 성화되면 부지런해질 거야' 라고 생각하지 마십시오. 게으른 사람은 결코 성화될 수 없습니다. 생각이 게을러서 부주의하고, 마음이 게을러서 정욕에 불타고, 의지가 게을러서 의무를 행치 않는 사람이기 때문입니다.

성화의 삶을 살기 위해서는 우선 우리의 머리끝에서 발끝까지 배어 있는 게으름의 정신들을 추방해야 합니다. 먹고 마시는 일에서부터 시작하여 잠자는 일에 이르기까지 절제 있는 삶을 살아야 합니다. 하나님 앞에서 힘닿는 대로 열심히 시간을 아껴서 섬기고, 열정을 불태워 그 분의 일을 하여야 합니다. 주어진 삶에 최선을 다하며 우리에게서 그리스도의 향기가 배어나도록 살아야 하는데, 그러기 위해서는 예수님을 알기 전보다 몇 배나 더 부지런하게 일하지 않으면 안 되는 것입니다.

## 예수님과 하나 되는 비결

예수님의 생애를 본받아 맡겨 주신 삶의 자리에서 힘에 진하도록 살 때, 우리는 예수님과 하나 되는 비결을 배우게 됩니다. 그리고 이것이 바로 우리가 살아야 할 삶임을 깨닫습니다.

주님도 때로는 울기도 하셨네
날 주관하셔서 뜻대로 하소서

저는 가끔 과도한 사역으로 몸이 너무 힘들면 누워서 생각합니다. '예수님, 저 오늘 아픕니다. 주님께서도 그러셨지요? 유대 땅으로 사마리아로 갈릴리로, 그 먼 길을 금가마 타고 다니지 아니하시고 걸어다니신 주님! 예수님께서도 그 때 저처럼 다리가 쑤시고 허리가 끊어질 듯 아프셨죠? 그래도 우리를 섬기셨지요? 힘주세요. 잘할게요.' 이렇게 고단하시던 예수님의 지상 생애를 생각하면 온 몸을 부서뜨릴 듯 짓누르던 피곤이 달콤한 은혜로 바뀝니다. 감히 예수님께서 당하신 고통에 참여한다는 생각이 들어서입니다.

그렇습니다. 그렇게 고통에 동참하면서 그리스도와 하나 되는 것을 배워 나가게 됩니다. 거기서 분투하는 삶을 위한 은혜를 공급받으며…….

거.룩.한. 삶.의. 은.밀.한. 대.적. **게.으.름**

# 11

## 마음에 박힌 광경 : 게으름으로부터의 교훈

"내가 보고 생각이 깊었고 내가 보고 훈계를 받았었노라
네가 좀더 자자 좀더 졸자 손을 모으고 좀더 눕자 하니
네 빈궁이 강도같이 오며
네 곤핍이 군사같이 이르리라" (잠 24:32-34)

### 마음에 박힌 광경

본문 말씀은 히브리어 성경에서 직역하면, '내가 붙잡았고, 내 마음을 두었고, 내가 보았으며, 한 교훈을 취하였노라' 입니다. 여기서 특별히 주의해서 살펴야 할 것은 한글 성경에서는 '보고' 라는 단어가 2번 나오는데 히브리어 성경에서는 그것이 각각 다른 단어라는 점과 주어를 거듭거듭 반복하며 진술하고 있다는 점입니다.

원어적으로 볼 때 앞에서 나온 '보고' 는 뒤에서 나온 '보고' 보다 훨씬 강한 의미입니다. 이것은 지혜 없는 자의 밭과 게으른 자의 포도원 광경이 세월이 많이 흘러도 쉽게 지워지지 않을 만큼 강렬하게 마음에 찍혀, 사진처럼 박혔다는 것입니다. 즉, 그것을 정확하게 파악하여 가슴에 새겼다는 것입니다. 이에 비해, 그 다음에 다시 나오는 '보고' 는 단순하게 눈으로 보았다는 의미입니다.

지혜자에게 이 밭과 포도원의 황폐한 광경은 적지 않은 충격이었던 것 같습니다. 그 밭이 지혜자에게 남긴 인상이 강렬했음은 그가 계속 '내가' 라는 주어를 반복 사용한 것으로도 알 수 있습니다. 이처럼 주어가 꼭 필요하지 않은 곳에까지 계속하여 주어를 사용한 것은 자신이 보고 생각하고 느낀 바를 강조하기 위함이었습니다.

그런데 이 밭과 포도원을 지나간 사람이 이 지혜자 한 사람뿐이었을까요? 아마, 많은 사람들이 이 곳을 지나갔을 것입니다. 하지만 지나간 사람 모두가 그곳의 광경에 충격을 받은 것은 아니었습니다. 대다수의 사람들은 아무런 메시지도 발견하지 못하고 그곳을 지나갔을 것입니다. 그리고 그런 사람들은 반드시 다음 두 가지 경우 중 하나일 것입니다. 부지런하고 성실해서 부주의함의 문제에 있어서 자유로운 사람이든지, 아니면 그 밭의 주인과 똑같이 게으르고 부주의해서 그 황폐한 광경이 전혀 이상하게 느껴지지 않는 사람이었을 것입니다.

### 객관적인 시선으로 자신을 살펴야

똑같은 광경을 보고서도 사람들은 각기 다른 생각을 하며 돌아섭니다. 황폐한 밭을 보고 자신은 게으르지 않아 다행이라고 생각하며 돌아서는 사람이 있는가 하면, 호된 꾸지람을 받고 돌아서는 사람도 있습니다. 이것을 결정하는 것은 그가 어떤 삶을 살아온 사람인가 하는 것이지만, 여기에는 그것과 함께 한 가지 중요한 요소가 더 있는데, 그것은 바로 자신을 정직하게 인식하고 있는가 하는 문제입니다.

우리가 가진 자기 인식은 하나님의 평가나 다른 사람들의 생각과 다를 때가 많습니다(잠 16:2). 자기 자신을 객관적인 시선으로 볼 수 있는 사람이 많지 않기 때문입니다.

어쩌면 이 책을 읽고 이런 생각을 하는 분들이 있을지도 모릅니다. '이 책은 나보다는 우리 남편이 읽어야 하는데', '이거 우리 형한테 하는 소리네.' 물론, 그런 생각이 틀렸다는 것이 아닙니다. 자신을 객관적으로 돌아보지 않고, 무조건 남을 향해서만 잣대를 들이대는 것이 틀렸다는 것입니다. 우리의 자신을 향한 평가는 맞지 않을 때가 너무 많습니다.

예수님께서 라오디게아 교회를 향해서 하신 말씀을 보십시오. "네가 말하기를 나는 부자라 부요하여 부족한 것이 없다 하나 네 곤고한 것과 가련한 것과 가난한 것과 눈먼 것과 벌거벗은 것을 알지 못하도다"(계 3:17).

당시 라오디게아는 안약의 산지로 유명한 곳이었습니다. 우리에게 인삼하면 개성이 떠오르듯이, 로마 시대에는 누구나 안약 하면 라오디게아를 떠올렸습니다. 이처럼 라오디게아는 안약의 명산지였기 때문에 돈을 아주 많이 버는 부자 동네였습니다. 그리고 그 때문에 그들은 스스로를 부요하여 부족한 것이 없다고 생각했습니다.

그러나 예수님의 생각은 달랐습니다. 예수님께서는 라오디게아 사람들을 눈먼 자라 하시며, 오히려 그 안약을 그들 눈에 먼저 바르라고 하셨습니다(계 3:18). 그들이 자신의 상태를 정확히 보지 못하고 있었기 때문입니다.

자신을 믿는 것만큼이나 위험한 것은 없습니다. 사람들에게는 누구나 자신에게 관대해지기 쉽다는 약점이 있습니다. 그래서 늘 자신에게 엄격하도록 의지적으로 노력해야 하고, 객관적인 기준으로 자신를 살펴보아야 합니다.

## 자신의 게으름을 재는 시금석

그럼 우리가 하나님 앞에 부지런한 사람들인지 게으른 사람들인지를 파악하기 위해서는 어떻게 해야 할까요? 자신의 변명에 영향을 받지 않고 객관적으로 그것을 평가하고 싶은 분들께 저는 이런 방법을 권하고 싶습니다. '다른 사람들이 게으른 것을 볼 때, 적절한 분노가 솟아나는가?' 하는 것을 자신의 게으름을 재는 시금석으로 삼으라는 것입니다.

사실 부지런함에도 두 가지 종류가 있습니다. 하나님께 감화를 입은 것에서 비롯된 부지런함과 타고난 부지런함입니다. 타고난 부지런함에는 영혼과 육체의 모든 것을 포괄하는 균형이 없으며, 그저 이 세상을 살아가면서 자신의 행복에 필요한 의무들에 있어 성실하고 부지런한 것입니다. 그것은 자아가 깨어진 데서 온 부지런함이 아닙니다.

저희 아버님은 매우 부지런한 분이십니다. 지금은 연로하셔서 예전과 같지 않지만, 일평생 저는 4시 30분이 넘은 시간에 아버님이 주무시고 계시는 것을 본 적이 없습니다. 예수님 믿고 은혜받으시기 전이었는데도 말입니다. 제가 새벽 기도에 가기 위해 일어나 보면, 아버님은 벌써 깨어나셔서 라디오를 듣고 계시곤 했습니다. 정말 감당할 수 없을 만큼 부지런한 분이셨지만, 그것은 타고난 그 분의 성품이셨지 하나님께로부터 큰 감화를 받은 결과는 아니었습니다.

하나님으로부터 큰 감화를 받고 그로 인하여 분투하며 부지런히 사는 사는 사람은 다른 사람의 게으른 삶을 보며 거룩한 분노를 느낍니다. 이것은 매우 정당하고도 바람직한 감정입니다. 게으르게 사는 사람이 낭비하고 있는 시간과 능력은 그 자신의 것이 아니라 하나님의 것이기 때문입니다. 그리고 우리뿐 아니라, 우리가 아는 다른 사람들도 모두 하나님의 영광을 위하여 살아야 하기 때문입니다.

게으름의 영역은 자고 싶을 때까지 자는 것이나, 자신의 의무를 방치하는 것에만 국한되는 것이 아닙니다. 부당한 방법으로 적게 노력을 들이고 크게 수확을 얻으려고 하는 모든 시도들도 하나님 앞에서는 게으름입니다. 따라서 하나님의 영광을 위하여 살고자 분투하는 삶과 열정을 지닌 사람들에게 이런 사람들의 삶에 대해 적절한 혐오감이 있는 것은 자연스러운 것입니다.

주일날 공예배에 나오지 않은 사람들에게 그 이유를 물어보면 거의 대부분 죽는 시늉의 대답이 나옵니다. 회사일이 바쁘고, 직장에서 구조 조정의 칼바람이 일고, 몸은 몸대로 아프고, 구구절절 고되고 힘든 사연들입니다. 사실일 수도 있습니다. 그러나 우리는 믿음으로 살아야 합니다. 시험과 염려, 그리고 방탕의 유혹이 많은 세상 마지막 때에는 더욱 믿음으로 살아야 하지 않겠습니까? 우리의 게으름이 이러한 환경과 손잡고 우리를 믿음에서 멀어지게 하지 않도록 말입니다.

## 경험의 양보다는 해석과 적용의 능력이 중요하다

지혜자는 풀과 가시덤불로 뒤덮인 게으르고 지혜 없는 자의 경작지를 보고 교훈을 얻었습니다. 사실 무엇인가를 배우는 데 가장 좋은 것은 스스로의 경험으로부터 깨달음을 얻는 것입니다. 그러나 때때로 직접적인 경험을 통해 교훈을 소유하는 것이 너무 많은 비용이 들 때가 있고, 윤리적으로나 신앙적으로 그 경험을 할 수 없도록 차단되어 있는 경우도 있습니다. 그래서 간접 경험을 통해서 지식을 얻기도 합니다. 그러나 직접 배우는 것이 가장 좋은 것임에는 틀림이 없습니다.

이 게으름의 문제도 그 해악을 깨닫는 가장 확실한 방법은 직접 바닥까지 내려가 보는 것입니다. 그래서 직접 죄에 완전히 짓밟히고 성경이 예고한 대로 최악의 빈궁을 경험하며 핍절한 상태가 되면, 게으름이 얼마나 해를 주는 것인지를 스스로 절절히 깨닫고 각성할 수 있을 것이기 때문입니다.

그러나 이미 성경에 다 나와 있는 결론을 체험해 보기 위해서 그 값비싼 대가를 지불하는 건 너무나 어리석은 일입니다. 지혜 없는 사람은 위험한 약을 한 동이 다 마시고 그 맛에 고개를 갸우뚱갸우뚱하다 죽어가지만, 지혜로운 사람은 입에 살짝만 대 보고도 위험한 것이라는 것을 알고 멀리합니다. 즉, 무언가를 경험하고 깨닫는 일에 있어서 정말로 중요한 것은 경험의 양이 아니라, 그것을 해석하는 지적인 판단 능력과 그것을 자신의 삶에 적용하는 능력이라는 것입니다.

성경은 악을 행하면 얼마나 곤고해지는지 시험해 보라고 하지 않고, 그것을 경계하라고 말씀합니다. 이 잠언의 지혜자가 지혜자인 것은 다른 사람의 일을 자기의 일인 것처럼 생각하고 경계해서, 거기에 빠지지 않도록 애썼기 때문입니다.

여러분도 알다시피 이 지혜자는 솔로몬 왕입니다. 그는 왕이었기에 밭을 갈 일도, 포도원에 가서 김을 매 줄 일도 없었을 것입니다. 그러나 그는 게으른 자의 밭과 지혜 없는 자의 포도원을 통해 자기의 삶의 태도에 관한 실질적인 교훈을 얻었습니다.

저와 여러분은 먹고살 일을 걱정하지 않아도 되는 왕과 같은 신분의 사람이 아닙니다. 우리는 저마다 생계를 위해 열심히 일해야 할 터전을 갖고 있습니다. 따라서 본문에 나오는 밭과 포도원은 남의 이야기가 아닙니다. 지난날들을 돌아보십시오. 우리의 눈물과 수고로 인해 풍성한 열매가 가득해야 마땅한 일터가 우리의 게으름으로 인해 열매는 없고 거친 풀과 가시덤불만 가득한 밭이 된 적이 있지 않습니까? 도대체 언제까지 고개만 갸우뚱거리며 게으름의 해악을 조금씩 조금씩 맛보고 계시겠습니까? 그렇게 사는 시간이 길면 길수록, 하나님을 위해 정말 제대로 살아 볼 시간은 짧아집니다. 게으른 자에게나 충성스러운 자에게나 시간은 동일한 속도로 흘러가기 때문입니다. 다시 돌아오지 않을 영원 속으로…….

### 황금 알을 낳는 거위

하나님과의 관계는 우리 삶의 뿌리입니다. 그런데 게으름은 그것을 갉아먹으려 합니다. 게으른 욕구를 따라 사는 육체의 정욕이 그 일을 돕습니다.

옛날 이야기 중에 황금 알을 낳는 거위 이야기가 있습니다. 그 거위는 매일 하나씩 황금으로 된 알을 낳아 주었는데, 주인은 한번에 많은 황금 알을 얻기 위해서 그 거위를 죽이고 맙니다. 거위의 뱃속에 수천 개의 황금 알이 있을 줄 알았던 것입니다. 결국 그 주인은 욕심으로 인해 아무것도 얻지 못한 채, 소중한 거위를 잃고 말았습니다.

하루하루 사는 것이 너무 분주해 하나님과의 관계를 돌아볼 시간이 없는 그리스도인들을 보면 그 거위 주인이 생각납니다. 아무리 욕심이 나고 아무리 사정이 급해도 침범하지 말아야 할 것이 바로 하나님과의 관계를 위해 마음을 바치는 경건 생활입니다. 우리가 밭의 상추를 뜯어먹을 때도 잎만 뜯어야 그 다음을 기약할 수 있지, 뿌리에까지 칼을 대서는 안 됩니다.

우리의 인생도 마찬가지입니다. 하루 중 하나님을 바라보며 기도하고 묵상하고 말씀 보는 시간은, 그 하루의 삶의 뿌리이며 절대 침범해서는 안 되는 시간인 것입니다. 세상에서의 성공과 자기의 욕심을 위해 이 시간을 쓰는 것은 순간의 욕심으로 황금 알을 낳는 거위의 배를 가르는 사람과 똑같은 행동입니다.

그러므로 이 세상에서 제일 바보 같은 사람은 다른 일에 너무 바빠, 하나님과의 관계를 위해 쓸 시간이 없는 사람입니다. 이런 사람들은 하늘 자원을 잃어버린 채 살아가는 사람들이요, 창조주를 잊고 살아가는 사람들이며, 자신을 구속하신 예수 그리스도의 은혜를 잊고 살아가는 사람들입니다.

이런 사람들은 잠시 동안, 스스로 하나님을 떠나 자유롭게 산다고 생각할지 모르지만, 실상은 하나님 안에서 누리던 자유를 버리고 세상의 노예가 되어 살아가는 것입니다.

## 싫증이 게으름과 손잡을 때

때때로 우리는 끊임없이 노력하는데도 성화의 생활에 진전이 없는 것을 경험합니다. 이것은 죄에 대한 사랑을 놓지 않고 있기 때문입니다. 이렇게 살아서는 갈등만 계속 느낄 뿐 아무것도 나아지지 않습니다. 오히려 갈등이 영혼으로 하여금 싫증을 느끼게 만들어 육체를 게으름에 빠뜨리고 맙니다.

영혼의 싫증과 육체의 게으름이 손을 잡으면, 모든 신앙적인 선한 목표들이 사라집니다. 죄의 물 속에 빠진 사람이 있다고 가정해 봅시다. 어떻게든 그 물에서 나와 거룩이라고 하는 땅으로 올라가고 싶은데, 등에 맨 가방이 너무 무거워 도무지 앞으로 나아갈 수가 없습니다. 하지만 그 가방 안에는 금이 가득 들었기 때문에 버리려니 망설여집니다. 그래서 이러지도 저러지도 못하고 갈등만 하고 있는데, 체력의 한계로 점점 지쳐 물에 빠져 갑니다. 그리고 앞으로 헤엄쳐 나가지도 못하면서 왜 이 힘든 일을 하고 있나 회의를 갖게 됩니다. 바로 그 때 게으름이라는 커다란 연자맷돌이 그 사람의 목에 매달립니다. 그러면, 그는 제대로 저항 한번 못해 보고 깊은 죄의 물 속으로 가라앉고 마는 것입니다.

따라서 우리는 영혼이 싫증을 느끼는 문제에 있어서도 예민하게 스스로를 경계해야 합니다. 하나님 앞에서 지금 행하는 일이 옳다는 판단이 들면 열렬함을 갖고 그 일을 할 수 있도록 기도하십시오. 열렬함을 가지고 섬김에 있어 순종하지 않으면, 이내 순종하고 싶지 않은 마음이 파고듭니다. 그래서 우리로 하여금 갈등을 느끼게 하고 그 갈등은 영혼의 싫증으로 이어집니다.

참된 아멘은 입으로 하는 것이 아니라 삶으로 하는 것입니다. 설교를 듣거나 진리를 깨닫고 나면, 바로 삶을 통해 "아멘" 해야 합니다. 스스로의 잘못된 부분을 깨달았으면 즉각적으로 그것을 고치라는 것입니다.

### '좀더 자자'의 위험

지혜자는 게으른 자의 밭과 지혜 없는 자의 포도원의 모습을 마음에 두고 한 교훈을 취했습니다. 그 교훈은 좀더 자자, 좀더 졸자, 좀더 눕자 하는 것이 인간을 파멸로 데려간다는 것입니다. 아마도 여러분은 반문하고 싶으실 것입니다. "자고, 졸고, 눕는 것이 죄입니까?" 하고 말입니다. 죄는 아닙니다. 그러나 그것이 습관적인 것이 되고 나면, 인생을 완전히 망가뜨리고 맙니다. 따라서 우리는 어떤 일을 경계함에 있어서 그것이 죄인지 아닌지를 묻지 말고 그것이 궁극적으로 우리를 어디로 데려가는지를 물어야 합니다.

본문은 좀더 자고, 좀더 졸고, 좀더 눕는 것의 결과를 가난과 궁핍이 밀려오는 것이라고 설명합니다. 그것도 강도와 같이 예기치 못한 때에 찾아와, 밀려오는 군사와 같이 불가항력적으로 자신의 좋은 것을 강탈해 간다는 것입니다.

이것은 자기 자신을 학대하는 삶을 살라는 이야기가 아닙니다. 이것은 게을러지지 말고 의무에 충실하라는 권고입니다. 인간이 잠을 자는 것은 당연하고, 피곤하면 졸 수도 있고, 힘들면 눕기도 합니다. 문제는 이런 일 자체가 나쁜 것이 아니라, 과도하게 자거나 졸거나 눕는 일이 나쁘다는 것입니다. 그렇게 되면, 육체의 게으름과 마음의 부패로 주어진 의무에 충실해질 수가 없기 때문입니다.

자신의 의무를 정확히 인식하고 최선을 다해 열렬한 마음으로 그것을 수행하기를 힘써야 합니다. 게으른 사람들은 대부분 그 마음이 이미 하나님께서 주신 의무에서 떠나 있습니다. 그리고 자신이 하나님 앞에 가진 의무에 대해서 생각하기보다는, 하나님께서 자신에게 무언가를 해주셔야만 비로소 자신이 그 일을 할 수 있다고 주장합니다. 이런 삶이 지속되면 결국 그의 게으름은 패역한 삶으로 이어지고 말 것입니다.

## 실천을 통해 맛보는 신앙의 진수

부지런한 삶과 신령한 영성은 매우 밀접하게 연관되어 있습니다. 하나님을 위해 무엇인가 목표를 정하고 그 목표에 충실한 삶을 살았을 때는 깨어짐이 풍부합니다. '최선을 다했는데, 결과가 안 좋으면 하나님께서 실망하지 않을까?' 하고 염려하는 것은 최선을 다해 본 적이 없는 사람이나 하는 생각입니다. 최선을 다하고 나면 결과에 대해 자유해집니다. 그리고 일의 성패를 떠나 감사할 수 있게 됩니다. 일이 잘 안 되면 깨뜨려진 마음으로 기도하며 하나님을 더 간절히 바라보게 되고, 잘되면 겸손한 마음으로 하나님의 도우심을 찬송하게 되는 것입니다.

그러나 최선을 다하지 않은 사람들에게는 일의 성패를 떠나 늘 마음에 부담이 남습니다. 하던 일이 안 되어도 하나님 앞에서 깨어지기가 힘이 듭니다. 왜냐하면 일이 성취되지 못함에 있어서 하나님의 특별한 뜻을 생각하기에는 최선을 다하지 못했다는 아쉬움이 너무 크기 때문입니다. 따라서 하나님을 바라는 가난한 마음보다는 '내가 왜 그랬을까?' 하는 후회가 더 강하게 그를 사로잡습니다.

기독교 신앙이란 실천을 통해서 그 진수를 맛보는 신앙입니다. 하나님을 사랑해야 할 당위성, 기도 생활과 말씀 생활의 필요성, 성화의 길 등을 배우고 이해하는 것도 중요하지만, 그 진수는 단지 책상에 앉아 그것이 무엇인지 공부할 때가 아니라 구도자적인 추구로 그렇게 살고자 몸부림칠 때 맛볼 수 있는 것입니다. 사랑의 진수는 하나님을 깊이 사랑하는 삶 속에서, 기도의 진수는 기도를 실천하는 자리에서 맛볼 수 있습니다.

그런데 게으름은 아예 이러한 실천을 방해하여, 신자로 하여금 그 진수를 맛보지 못하도록 합니다. 마치 인공 위성이 끊임없이 지구를 돌지만, 한번도 지구와 만난 적이 없는 것처럼 말입니다. 이처럼 게으름은 우리에게서 참다운 신앙이 꽃 피지 못하게 합니다.

많은 사람들이 기도하라고 하면 기도에 관한 책 읽고, 전도하라고 하면 전도 많이 한 사람 데려다가 특강 듣고, 거룩해지라고 하면 거룩에 대한 강의에 참석하고, 충성하라고 하면 충성스럽게 산 사람들 데려다 간증 듣는 것으로 위로를 받으려고 합니다. 그러나 이것은 남의 신앙을 즐기는 것이지 믿음으로 사는 것이 아닙니다. 신앙은 스스로 살아 본 만큼 깊어집니다.

삶의 영역을 떠난 신앙은 의무를 저버린 신앙이며, 의무를 저버린 신앙은 한낱 영적 유희일 뿐입니다.

## 맡겨 주신 사명에 모든 것을 쏟으라

자기 자신에게 주어진 의무가 무엇인지, 자신은 거기에 충실한지 자문해 보십시오. 충실하지 못하다면 깊이 회개하고 더욱더 그 일에 매진해야 합니다. 시간이 더 필요하다면 사소한 일에 허비하는 시간을 가지고 거기에 투자해야 하고, 돈이 모자라다면 덜 가치 있는 일에 쓰고 있는 돈을 절제하여 거기에 쏟아 부어야 합니다. 우리에게 있어 시간은 주님을 향한 우리의 사랑을 고백할 수 있는 편지지와 같고, 주님을 기쁘게 해드리기 위해서 춤추고 노래할 수 있는 무대와 같습니다. 우리의 시간은 우리의 것이 아닙니다. 주님을 위한 목표 없이 게으르게 살며 시간을 낭비하는 것은 주님의 소중한 것에 대한 도적질입니다.

하나님께서 우리에게 허락하신 자리가 얼마나 귀하고 아름답습니까? 거기에 우리가 그 무엇을 아끼겠습니까? 시간도, 건강도, 능력도 거기에 쏟으라고 주신 것인데 우리가 무엇을 망설이겠습니까?

## 주님 위해 살 시간이 있기에 행복합니다

예수님과 함께 십자가에 달렸던 두 강도를 생각해 보십시오. 한 강도는 지옥으로 가고 한 강도는 예수님과 함께 낙원으로 갔습니다. 회개한 강도는 평생 자기 좋을 대로 살았을 뿐, 하나님 앞에 선한 일은 한번도 못해 본 사람이었습니다. 그저 마지막에 예수님이 하나님의 아들이신 줄을 알아보고 그 분께 회개하고 자비를 구했을 뿐입니다. 예수 그리스도가 누구신지 깨달았지만, 자신이 살아온 삶을 생각하니 차마 구원해 달라는 말이 나오지 않았습니다. 그래서 "예수여 당신의 나라에 임하실 때에 나를 생각하소서"(눅 23:42)라고 부탁드릴 수밖에 없었습니다. 하지만 예수님께서는 그 믿음을 보시고 그를 구원하셨습니다. 그를 기꺼이 천국 가는 길의 동반자로 삼으셨습니다.

그런데 생각해 보십시오. 사랑이 많으신 예수님께서는 기쁨으로 그를 천국으로 데려가셨겠지만, 그 강도의 마음은 어떠했겠습니까? 일평생 죄만 짓고 살다가 이제 비로소 누구를 섬겨야 할지, 어떻게 살아야 할지 알게 되었는데 안타깝게도 그곳은 목숨이 끊어져 가는 십자가 위였습니다.

그 강도는 얼마나 안타까웠을까요? 이제는 누구를 섬겨야 할지 알게 되었고, 그렇게 자신을 드려 봉사하고 싶은 마음도 있는데, 그에게는 남은 시간이 없었습니다. 만약 그 사람에게 며칠간이라도 말미를 주어 주님을 섬기라고 했다면, 그는 뛸 듯이 기뻐했을 것입니다. 그는 아마 자신과 같은 강도들을 찾아가 그리스도의 사랑을 전하고 회개를 촉구하였을 것입니다. 그리고 남겨두고 가는 자신의 가족들에게도 복음을 전함으로 주님을 섬겼을 것입니다. 하지만 그에게는 그 무엇도 허락되지 않았습니다.

우리는 그 강도보다 얼마나 행복한 사람들입니까? 아직 우리에게는 주님을 섬길 시간이 남아 있고, 섬김받으실 주님도 우리 곁에 계십니다.

그러므로 우리는 충성스럽게 살아야 합니다. 우리 자신을 위해 게으르지 말아야 하며, 주님을 위해 열렬하고 부지런히 살아야 합니다. 우리의 피 묻은 전투복을 천국의 세마포옷으로 갈아입을 때까지…….